COVID-19 :
LE SCANDALE DES TESTS
ET DU *TRACKING*

Deux visions opposées, chacune leur scandale

GUY COURTOIS

COVID-19 :
LE SCANDALE DES TESTS
ET DU *TRACKING*

Investigation éditions
www.investigationeditions.com

Tous droits de traduction, d'adaptation,
et de reproduction réservés pour tous pays.
© Investigation éditions
Texte publié pour la 1re fois le 16 juillet 2020
Nouvelle édition : février 2021
ISBN (version brochée) : 978-2-38332-096-8
Dépôt légal : mars 2021

À ma famille,
et à mon frère Louis qui me manque tant.

TABLE DES MATIÈRES

***
**
*

REMERCIEMENTS

Je dédie ce livre à Mey Fassi Fehri, qui m'a particulièrement aidé pour ce dernier et sans qui il n'existerait pas.

Je tiens à remercier l'ensemble des personnes qui ont contribué à la réalisation de ce livre. Elles sont classées par ordre alphabétique.

1. Jean-Luc Boutin
2. Maureen Colomar
3. Mey Fassi Fehri
4. Virginie Fernandez
5. Nadia Gbané
6. Guillaume Grenier
7. Pierre Leclerc
8. Jean-François Lesgards
9. Florian Levy
10. Antoine Pommier
11. Lionel Réveillère
12. El-Fazard Ridjali
13. Dominic Shahani
14. Stéphanie Solliard

Je remercie également les nombreuses personnes du corps médical ou non, qui nous ont fourni des informations et qui ont participé à nos interviews.

***
**
*

AVIS AU LECTEUR

« Sapere aude ! Aie le courage de te servir de
ton propre entendement ! »

Emmanuel Kant, *Qu'est-ce que les Lumières ?*,
1784.

Les débats autour de la question du Covid-19
sont très agités, souvent clivants. Chacun y va de son
anecdote, de son raisonnement, de son intuition et
surtout, de sa passion. Les plateaux de télévision et
les antennes de radio abondent en entretiens censés
expliquer la situation délicate que nous traversons.
Mais qui a vraiment pris le temps d'analyser les faits
en détail, avec la hauteur de vue nécessaire ?

***
**
*

Depuis plus de 20 ans, j'apporte un conseil
pragmatique et opérationnel en stratégie d'entreprise.
Ces années d'expérience professionnelle ont aiguisé
mon goût pour l'analyse et mon esprit de synthèse,
ma capacité à appréhender des problématiques
multiples et complexes. Dans le cadre d'une approche
méthodique et rationnelle, je me suis attaché à
confronter les désirs de développement d'une entité
quelle qu'elle soit aux contraintes limitantes du

terrain. Aller au-delà des apparences et des idées reçues pour gagner la bonne destination, poser l'acte juste, et éviter d'avoir une vision déformée, sinon fausse, de ce à quoi nous sommes confrontés. Il est toujours nécessaire de garder l'esprit alerte, critique, observateur, afin de s'adapter à chaque nouvelle situation !

À titre plus personnel, les événements qui ont jalonné ma vie n'ont eu de cesse d'approfondir mes réflexions au sujet de l'influence des biais cognitifs dans les interactions sociales, la survenue de nos peurs et de nos pensées négatives. Nombre d'entre nous éprouvent des difficultés à affronter les épreuves de la vie dans tous ses aspects, et sont dans un autre monde qui ne correspond en rien à la réalité effective. Être en conformité exacte à une réalité, que l'expérience soit négative ou difficile, est un processus qui doit permettre d'accéder à un état durable de bien-être et d'authenticité. Je tente personnellement d'y parvenir, non sans heurts, c'est un parcours long et exigeant ...

***
**
*

La série Covid-19 est le fruit d'un long travail de collecte d'informations que j'ai mené, avec mon équipe, aussitôt le premier confinement instauré en

France, courant mars 2020. L'incertitude du moment rendait indispensable une étude de fond, la plus objective et factuelle possible. Nous nous sommes évertués à respecter des règles professionnelles empreintes de rectitude morale, dans la continuité des valeurs et des exigences de vérité que je me suis fixées tout au long de ma carrière. Nous avons souhaité rendre intelligible au plus grand nombre les mécanismes ayant soudainement précipité la France et le monde dans un contexte social et économique d'une tout autre nature. L'ampleur des conséquences sociétales du Covid-19 demeure inconnue, surtout à l'aune des prochaines échéances électorales, qui rendent le discernement plus difficile encore.

Citoyens, politiques et médias ont tous été désemparés devant la singularité et la hardiesse des événements récents. Seule une méthode de travail rigoureuse et croisée peut aborder, avec sérénité, les questions majeures que soulève la pandémie de Covid venue de Chine. Aller au-delà des idées reçues, s'échapper de la frénésie médiatique, du sensationnalisme, afin de retrouver un peu de raison. Tel était notre objectif à travers les 24 livres qui composent la série Covid-19.

***
**
*

La série Covid-19 est un manifeste contre le complotisme, lequel prolifère sur les réseaux sociaux et les plateformes de vidéos en ligne. *Twitter* est devenu une zone de non-droit où les insultes se déversent sans censure, alors que *Facebook* s'autorise à dissoudre des comptes de façon arbitraire. Certaines personnalités publiques préfèrent attiser la peur au détriment du bon sens, quand d'autres relativisent à l'excès la gravité du coronavirus. Difficile de trouver sa voie dans ce capharnaüm médiatico-politique. Puisse donc notre travail d'investigation, qui a donné la parole à tous et qui se veut nuancé, participer à une meilleure compréhension des enjeux actuels et lutter contre les exagérations de tous bords. La démarche de vérité exige de la réflexion et du courage. Par ces ouvrages, nous espérons seulement avoir pu vous aider à l'entreprendre.

Merci, et bonne lecture.

Guy Courtois

***
**
*

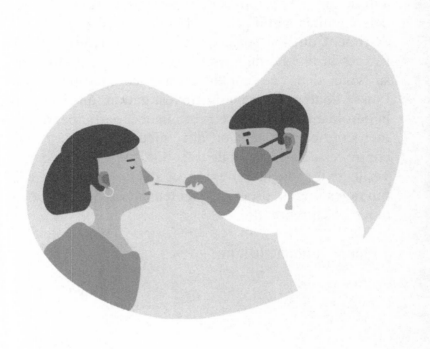

INTRODUCTION

« Si nous ne voulons pas une deuxième vague, ça dépend de nous : nous protéger, nous tester[1]. »

Emmanuel Macron.

Les tests constituent-ils un facteur essentiel pour évaluer la bonne gestion d'une crise sanitaire telle que celle du Covid-19 ? Quel est l'intérêt du dépistage massif ? Quel système de dépistage est préférable et pourquoi ?
Ce ne sont là que quelques-unes des questions cruciales qui se sont posées au sujet des tests.

***
**
*

La crise sanitaire liée au Covid-19[2] bouleverse le monde entier, de manière inédite, depuis le premier

---

[1] « 14 Juillet : "Disque rayé", "floue", "du vent", l'opposition raille l'interview de Macron », France, *Le Parisien*, 14 juillet 2020.

[2] N. B. : l'Académie française recommande d'employer le mot au féminin, car il s'agit d'une maladie. Néanmoins, l'usage courant aujourd'hui est masculin. Ainsi, nous avons décidé dans ce livre de suivre l'usage courant par simplicité pour le lecteur. De plus, nous avons écrit Covid-19, mais nous avons conservé la forme COVID-19, lorsque celle-ci est utilisée dans des citations ou dans des titres de nos références.

trimestre 2020. Ce virus, originaire de Chine, est actuellement présent sur tous les continents, a infecté plusieurs millions de personnes et ôté la vie à plusieurs centaines de milliers d'entre elles. Au moment où nous écrivons ces lignes, la crise n'est toujours pas terminée. La situation est en évolution constante et les faits relatés dans ce livre sont susceptibles de changer. L'analyse que propose ce livre se fonde sur des événements intervenus avant la date du 1ᵉʳ juillet 2020. Ainsi, il va de soi que notre ouvrage ne prend en compte que les événements, décisions, chiffres et problématiques antérieurs à cette date.

Ce livre est le fruit d'une réflexion collective et de la mutualisation de diverses opinions. C'est avant tout un travail d'investigation effectué à travers le prisme du *fact-checking*[3] afin d'offrir une information précise et intellectuellement honnête.

***
**
*

---

[3] Le terme anglais *fact-checking*, littéralement « vérification des faits », désigne un mode de traitement journalistique, consistant à vérifier de manière systématique des affirmations de responsables politiques ou des éléments du débat public.

La généralisation des tests est un enjeu crucial en temps de pandémie. Tout d'abord, tester est essentiel, car ce processus précède toutes les mesures d'isolement des malades. Même si les doutes sur la nécessité de généraliser les tests sont nombreux, leur efficacité est indéniable. De nombreux progrès ont été réalisés sur les tests qui sont progressivement mis sur le marché. Cela annonce des changements positifs dans les politiques de dépistage internationales à venir.

Dès le début de la crise sanitaire, la France connaît une pénurie de tests. Très peu d'initiatives sont prises pour essayer de pallier ce manque. Or, ce sont les mauvaises décisions gouvernementales préalables qui ont donné lieu à cette pénurie de tests de dépistage. Premièrement, les laboratoires privés ont initialement été écartés de la réalisation des tests, ce qui semble *a priori* incompréhensible.

À cela s'ajoute le grand retard d'homologation des tests PCR vétérinaires. Au regard de ce retard, la France et d'autres pays telle l'Italie, ou encore certains États des États-Unis ont défini une politique de confinement comme unique alternative. Cette politique radicale est peu efficace, car elle empêche de déterminer le nombre de personnes affectées par la maladie, elle empêche de tester et d'isoler les malades afin de les traiter. Tout porte à croire que si la méthode d'Asie de l'Est de lutte contre la pandémie[4] avait été appliquée, la gestion de la crise sanitaire aurait été beaucoup plus efficiente.

La généralisation des tests est indispensable en cas de pandémie. Il faut tester massivement et combiner ces tests avec le suivi des personnes malades, car tester et tracker sont les clés pour isoler les malades, éviter l'augmentation des contaminations et en savoir plus sur le virus et son schéma de propagation.

En Corée du Sud, le gouvernement a appliqué une politique de dépistage massif et de *tracking* des personnes malades. L'application de cette stratégie dès l'apparition des premiers cas s'est avérée des plus efficaces pour gérer la crise du Covid-19 dans le pays. Malgré son efficacité indéniable, la question du *tracking* est très complexe, car elle va à l'encontre des droits de confidentialité des données personnelles et des libertés individuelles. En France, le gouvernement ne met pas en place des mesures strictes de *tracking*

---

[4] La méthode d'Asie de l'Est de lutte contre la pandémie se décline en 4 étapes :
1 – PROTÉGER ;
2 – TESTER ;
3 – ISOLER LES MALADES ;
4 – TRAITER.

des personnes infectées par le virus, tant par incompétence qu'au nom de ces principes démocratiques. Paradoxalement, ce choix a eu des répercussions négatives comme la prorogation du déconfinement et le retard de la France sur la scène internationale.

La fermeture des frontières se présente comme une solution possible face à la pénurie de tests. En effet, si on n'est incapable de tester massivement, fermer les frontières semble indispensable pour gérer la propagation du virus. Influencé par les nombreuses incompréhensions liées aux tests, le président français explique que la France ne fermera pas ses frontières malgré la pénurie de masques et de tests. Cette position lui a été fortement reprochée.

Le manque de réactivité dont a fait preuve le gouvernement au début de la crise, la pénurie de tests, le confinement et la confusion révèlent les dessous d'un véritable scandale des tests. Un scandale qui aurait sûrement pu être évité si nous avions été plus réactifs dès le début de cette pandémie.

Cet ouvrage fait une analyse concise des grands enjeux autour de la généralisation des tests et du *tracking*. Ces enjeux cruciaux révèlent comment la pénurie de tests, et la confusion autour de certaines décisions prises, notamment le confinement national, auraient pu être évitées si on avait su appliquer une méthode claire et précise dès le départ.

***
**
*

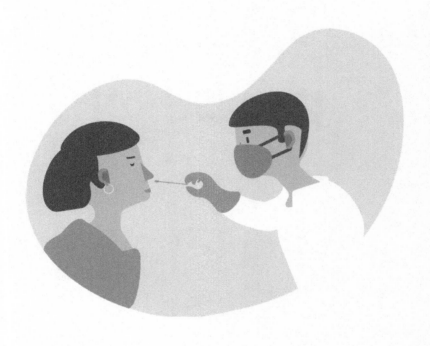

DÉFINITIONS

Délai d'incubation : « La période entre la contamination et l'apparition des premiers symptômes. Le délai d'incubation du coronavirus Covid-19 est de 3 à 5 jours en général, et peut toutefois s'étendre jusqu'à 14 jours. Pendant cette période, le sujet peut être contagieux : il peut être porteur du virus avant l'apparition des symptômes ou à l'apparition de signaux faibles ».

Tests : au moment de l'écriture, deux sortes de tests permettent de déterminer si une personne a contracté le Covid-19.

1- Les tests virologiques (PCR) « permettent de déterminer si une personne est porteuse du virus au moment du test grâce à un prélèvement par voie nasale ou salivaire ».

2- Les tests sérologiques « permettent de rechercher si une personne a développé une réaction immunitaire après avoir été en contact avec le virus. Ces tests détectent la présence d'anticorps au moyen d'une prise de sang ».

***
**
*

CHAPITRE 1

LE CARACTÈRE ESSENTIEL DES TESTS

Les tests constituent-ils un facteur essentiel pour évaluer la bonne gestion d'une crise sanitaire telle que celle du Covid-19 ?

En mars 2020, plusieurs célébrités telles que Tom Hanks et son épouse Rita Wilson[5], Christian Estrosi[6], maire de Nice, ou encore l'acteur Michel Boujenah, ont déclaré avoir été infectées par le Covid-19. Si cela semble simple pour ces personnalités d'avoir pu effectuer un dépistage de cette maladie, les tests n'ont pourtant pas toujours été aussi faciles d'accès. En effet, à la veille du déconfinement en France, plusieurs entreprises annoncent leur plan dans lequel elles disent vouloir dépister en masse leurs salariés[7]. À ce propos, le 23 avril 2020, la société Véolia, en charge du ramassage des ordures et des déchets, annonce vouloir dépister 50 000 de ses salariés en France sur la base du volontariat. L'objectif est de commencer par ses 20 000 salariés ayant continué de travailler sur le terrain, en première ligne de l'épidémie[8]. Ces agents de salubrité ont, en effet, été

---

[5] Rédaction culture France Télévisions, « Coronavirus : testés positifs, Tom Hanks et sa femme Rita Wilson hospitalisées en Australie », France, *FranceInfo*, 12 mars 2020.

[6] CORDELIER J., « Il faut faire confiance au Pr Raoult », France, *Le Point*, 23 mars 2020.

[7] BEZAT J.-M., « Le gouvernement refuse aux entreprises un dépistage généralisé du Covid 19 », France, *Le Monde*, 5 mai 2020.

[8] Ibid.

en contact constant avec le virus depuis le début de la crise sanitaire. Toutefois, cette démarche a été freinée par la ministre du Travail, Muriel Pénicaud, qui a interdit aux entreprises le dépistage généralisé, car « aucune organisation par les employeurs de prélèvements en vue d'un dépistage virologique ne saurait s'inscrire dans la stratégie nationale de dépistage[9] ».

Parallèlement, la Corée du Sud, qui s'est illustrée dans sa gestion jugée exemplaire de la pandémie, a tout de suite mis en place une énorme campagne de dépistage massif[10]. Ce processus a été mis en œuvre dès l'apparition du virus en Chine. Quelques heures après la confirmation de l'arrivée d'un nouveau virus, Séoul[11] a autorisé les cliniques à créer un nouveau test permettant de diagnostiquer le Covid-19 en seulement 6 heures. Quelques jours plus tard, les premières cliniques ambulantes coréennes sillonnaient les rues afin de pouvoir tester un maximum de personnes[12].

S'opposent alors deux politiques de dépistage, révélatrices des différentes gestions de la pandémie à

---

[9] Ibid.
[10] AFP, « Séoul, l'élève modèle de la lutte contre le coronavirus ? », France, *Le Point*, 11 mars 2020.
[11] Ibid.
[12] Ibid.

travers le monde. Quel système est-il préférable ? Et, plus encore, il faut se demander quel est l'intérêt de dépister le plus de personnes possibles.

Selon Didier Raoult, les tests sont essentiels, car ils précèdent toutes les mesures d'isolement des malades.

Au fur et à mesure de l'avancée de l'épidémie, Didier Raoult s'est exprimé à plusieurs reprises sur sa chaîne YouTube « IHU Méditerranée Infection ». Il souligne dès les premiers mois[13] la nécessité pour les pays de tester le plus possible, avant de prendre les mesures d'isolement. En effet, dans la vidéo publiée le 31 janvier 2020, au début de la crise sanitaire en France, Didier Raoult est interrogé pour donner son avis sur la stratégie à mettre en place pour les Français rapatriés de Wuhan. Il déclare qu'une des bonnes décisions prises par le gouvernement a été de faire « revenir les gens, puis de les tester pour savoir s'ils sont positifs ou négatifs, afin d'isoler ceux qui ont été contaminés[14] ».

Il réaffirme cette même idée dans diverses vidéos. Le 17 février 2020, en réponse à la question

---

[13] RAOULT D., « Coronavirus : l'IHU prêt pour prévenir tout risque de contagion », France, *IHU Méditerranée Infection, YouTube*, 31 janvier 2020.
[14] Ibid.

« L'épidémie du coronavirus est-elle considérée comme mondiale ou grave ? Va-t-elle continuer ?[15] », le professeur déclare : « Demain, détecter les gens dans un avion directement et leur rendre leurs résultats, prendra moins de deux heures. Donc, ces outils technologiques sont extrêmement importants, à condition que la loi créée pour valider les diagnostics […] soit changée pour pouvoir être utilisable quand on a besoin de tests rapides, parce qu'il y a une crise et qu'il faut que l'on puisse très rapidement les utiliser et que l'on sorte de la régulation habituelle pour répondre à cette question. Donc je trouve que cette épidémie est l'occasion de montrer le retard intellectuel et technique des décideurs du monde, que ce soit l'OMS [ou] l'Europe. Il est temps de basculer dans la modernité, dans le diagnostic moléculaire de masse, qui est extrêmement facile[16] ». Ainsi, Didier Raoult expose clairement son mode d'action, en insistant sur la grande nécessité de tester un maximum de personnes, un élément clé à la résolution de la crise.

---

[15] RAOULT D., « Coronavirus : Moins de morts que par accident de trottinette », France, *IHU Méditerranée Infection YouTube,* 17 février 2020.
[16] Ibid.

En outre, au sein de son IHU, Didier Raoult a organisé des campagnes de dépistage massif[17]. Le dimanche 22 mars 2020, l'équipe du professeur publie un communiqué assurant que des tests seraient pratiqués au sein de l'IHU Méditerranée Infection, situé à Marseille, pour « tous les malades fébriles ». Malgré les nombreuses critiques formulées par d'autres médecins, de nombreuses personnes se sont présentées, comme prévu, le lundi 23 mars 2020, devant l'hôpital de la Timone. L'engouement était si fort qu'une impressionnante file de près de 300 personnes, toutes à un mètre de distance, s'est formée devant le centre hospitalier[18]. Cet étonnant phénomène, révélé par de nombreuses vidéos[19], a beaucoup fait parler de Didier Raoult. L'intérêt porté à l'infectiologue a été accru ; d'une part, en raison du grand nombre de personnes qui ont répondu à son appel ; et d'autre part, car il a démontré, une fois de plus, sa grande et dérangeante indépendance.

---

[17] HAROUNYAN S., « À Marseille devant l'IHU du Pr Raoult : "on attend que ça passe et au pire, on meurt ?" », France, *Libération*, 23 mars 2020.
[18] Ibid.
[19] « Coronavirus : à Marseille, les tests organisés par le Pr Raoult attirent la foule », France, *L'Express*, 23 mars 2020.

Mais nombreux sont ceux qui émettent des doutes sur la nécessité de réellement tester de façon généralisée.

Si la stratégie défendue par le Pr Didier Raoult semble porter ses fruits au sein de son IHU à Marseille, ce n'est pas le cas pour l'ensemble des hôpitaux de France. En effet, par manque de préparation, le pays a souffert d'une pénurie de tests qui a mécaniquement empêché la mise en place d'une campagne de dépistage massif. Parallèlement à cette pénurie, les hôpitaux français souffrent aussi d'un manque d'effectifs de personnel et de matériel[20]. S'il y a un cruel manque de personnes pour prendre en charge une telle politique de dépistage, il devient donc impossible de mettre en place le deuxième pilier de la méthode d'Asie de l'Est de lutte contre la pandémie[21].

---

[20] « Coronavirus : conditions de travail, réorganisation des hôpitaux... Des soignants témoignent », France, *20 Minutes*, 21 mars 2020.
[21] Pour rappel, la méthode d'Asie de l'Est de lutte contre la pandémie se décline en 4 étapes :
1 – PROTÉGER ;
2 – TESTER ;
3 – ISOLER LES MALADES ;
4 – TRAITER.

À savoir généraliser les tests sur la population[22].

MÉTHODE D'ASIE DE L'EST

1 PROTÉGER 2 TESTER 3 ISOLER LES MALADES 4 TRAITER

---

[22] PRIGENT A., « Coronavirus : le dépistage systématique encore en rodage », France, *Le Figaro*, 22 mai 2020.

En outre, une confusion règne entre les deux types de tests permettant de détecter la présence du virus : les tests PCR et les tests sérologiques. Cette confusion sème le doute sur l'utilité des campagnes de dépistage massif, ainsi que sur la véritable fiabilité de ces différents types de tests. Les tests PCR permettent de mettre en évidence la contraction du virus[23] par une personne dans les premiers jours, alors que les tests sérologiques permettent de déterminer si une personne a été infectée par le virus, en s'appuyant sur l'étude de ses anticorps.

Les résultats sont obtenus quelques semaines après l'infection. Or, durant tout ce temps, les personnes peuvent ne plus être malades, ou être en contact avec d'autres personnes, etc. De ce fait, les détracteurs de Didier Raoult ont beau jeu de s'interroger sur la fiabilité de tels tests, tant ils prennent du temps à être réalisés.

En plus de cette confusion, la mise en place du confinement amène à se demander – selon les détracteurs de Didier Raoult – si la mise en place d'une politique de dépistage massif est réellement nécessaire. En effet, si les personnes ne peuvent pas

---

[23] VERAN O., » Coronavirus : suivez notre soirée spéciale avec l'interview d'Olivier Véran », France, *BFMTV*, 9 mars 2020.

se retrouver, être en contact direct les unes avec les autres, elles n'ont aucune raison de contracter le virus, et donc il n'est pas nécessaire de tester en masse. Le confinement s'est vite imposé – toujours selon les détracteurs de Didier Raoult – comme la meilleure stratégie pour lutter contre l'épidémie.

Comme nous le verrons par la suite, ce n'était pas la seule et surtout pas la meilleure stratégie à adopter. Elle a été pensée comme seule alternative à la mise en place d'une « politique de dépistage à grande échelle » sachant que, comme l'affirme le Conseil scientifique, « l'isolement des personnes détectées [n'était] pas, pour l'instant, réalisable à l'échelle nationale[24] ». Par conséquent, pour le gouvernement français et les autorités sanitaires, seul le confinement permettait de ralentir l'avancée du virus.

Au regard de cette absence de tests disponibles, ainsi que de la confusion qui règne sur ces derniers et des doutes sur leur réelle efficacité, on peut se poser la question suivante : la stratégie préconisée par Didier Raoult, qui correspond à l'étape 2 de ce que nous avons appelé la méthode d'Asie de l'Est de lutte contre la pandémie, c'est-à-dire la politique de

---

[24] DOS SANTOS G. et TOURBE C., « Les tests, armes de déconfinement massif », France, *Le Point*, 2 avril 2020.

dépistage massif, est-elle véritablement celle à suivre ?

***
**
*

CHAPITRE 2

PÉNURIE DE TESTS ET MANQUE DE RÉACTIVITÉ

En France, les prises de décisions gouverne-mentales ont donné lieu à une pénurie de tests de dépistage.

Nous allons maintenant faire un focus sur la France, mais des problèmes similaires ont été constatés dans de nombreux pays du monde, notamment aux États-Unis et sur le continent africain, ce qui n'exonère en rien la France de ses manquements.

Tout d'abord, il est nécessaire de se rendre compte du manque de préparation de la France dans le domaine des tests. Les chiffres au 22 juin 2020 en témoignent : la France aurait effectué près de 21 000 tests pour un million de personnes, tandis que des pays comme l'Allemagne ou le Canada en ont effectué plus de 60 000[25]. En effet, à la mi-mars 2020, les autorités françaises produisent environ 4 000 tests par jour, alors que les autorités allemandes ou sud-coréennes en produisent près de 20 000[26]. Pourtant, Jean-François Delfraissy soutient, lors de son audition parlementaire du 18 juin 2020, que « la capacité de tests en France est largement équivalente à celle de

---

[25] Nombre de tests effectués pour un million d'habitants, États-Unis, www.worldometers.info/coronavirus, *22 juin 2020*.
[26] PERRONNE C., « Y a-t-il une erreur qu'ils n'ont pas commise ? : Covid-19 : l'union sacrée de l'incompétence et de l'arrogance », Paris, *Albin Michel*, 2020, p. 27.

l'Allemagne. Cependant, il y a une "sous-utilisation"
de ses capacités. Il ne faut pas perdre ce système
pendant l'été[27] ».

Malgré les recommandations diffusées par l'OMS
dès le 16 mars 2020 aux pays contaminés, préconisant
de « tester, tester, tester[28] », la France a eu beaucoup
de mal à se conformer à ces nouvelles injonctions.
Pourtant, le dépistage rapide et systématique des
personnes, dès la première apparition des symptômes
du virus, est une mesure clé pour la résolution d'une
telle crise. Sur ce point, la France s'est heurtée à un
retard énorme, car selon les chiffres fournis par
l'Organisation pour la coopération et le
développement économique (OCDE), la proportion
de la population testée était de 5,1 pour 1 000
habitants[29] au 15 avril 2020. À la sortie du
déconfinement, le gouvernement français promettait
la production de 700 000 tests par semaine[30].
Toutefois, François Blanchecotte, président du
syndicat national des biologistes, révèle que la

---

[27] MICHALIK M.-L., « Commission d'enquête Covid-19 : revivez
l'audition de Jean-François Delfraissy », France, *Le Figaro*, 18 juin
2020.
[28] « Allocution liminaire du Directeur général de l'OMS lors du point
presse sur la Covid-19 », *OMS [en ligne]*, 16 mars 2020.
[29] « Les leçons de la pénurie des tests », France, *Le Monde*, 25 avril
2020.
[30] Ibid.

production s'élève en réalité à moins de 350 000 tests par semaine[31]. Il s'agissait alors, au début de la crise, de réserver les tests aux personnes présentant les symptômes du virus, car la mise en place de campagnes massives de dépistage était impossible. Une stratégie que confirme Olivier Véran, ministre des Solidarités et de la Santé, le 9 mars 2020, lors de son intervention sur BFMTV : « J'ai demandé qu'on teste tous les malades en réanimation qui ont des troubles respiratoires ou une fièvre inexpliquée. Et c'est ainsi qu'on a diagnostiqué un certain nombre de cas graves[32] ». En février 2020, le site du ministère des Solidarités et de la Santé indique que « Tester tous les patients présentant des symptômes conduirait à saturer la filière de dépistage[33] ». Cette dernière information sera rectifiée le 21 avril 2020, mais met en exergue le choix d'une stratégie de dépistage sélectif. Un choix qui semble avant tout avoir été privilégié en raison des pénuries. Cependant, en procédant de cette manière, on écarte la possibilité de détecter les porteurs du virus dits

---

[31] PRIGENT A., « Coronavirus : le dépistage systématique encore en rodage », France, *Le Figaro*, 22 mai 2020.

[32] VERAN O., « Coronavirus : suivez notre soirée spéciale avec l'interview d'Olivier Véran », France, *BFMTV YouTube*, 9 mars 2020.

[33] PERRONNE C., « Y a-t-il une erreur qu'ils n'ont pas commise ? : Covid-19 : l'union sacrée de l'incompétence et de l'arrogance », Paris, *Albin Michel*, 2020, p. 30.

« asymptomatiques », c'est-à-dire les personnes ayant été contaminées par le virus, mais ne présentant aucun symptôme.

Dans une vidéo publiée le 12 mai 2020, au lendemain du déconfinement en France, Didier Raoult souligne l'incapacité du gouvernement français à mettre en place des campagnes de dépistage massif : « Cette crise a également montré, et c'est sans doute la raison pour laquelle certaines décisions ont été prises, qu'on a été incapable dans ce pays de développer des stratégies de tests systématiques qui, pourtant, ont été bien mises en place dans la plupart des autres pays. C'est pourtant banal, il y a énormément de gens volontaires pour les faire. De surcroît, il y a eu une tentative de monopolisation de la capacité à diagnostiquer les gens, [ce] qui est profondément antimédical, encore une fois[34] ». Ne pas tester massivement était donc une erreur, selon le professeur, car plus le nombre de tests réalisés est grand, plus les connaissances, à la fois sur le virus et sur la part de la population véritablement porteuse du Covid-19, sont fiables.

---

[34] RAOULT D., « Covid-19 : Quelles leçons doit-on en tirer ? », France, *IHU Méditerranée Infection YouTube*, 12 mai 2020.

Un retard similaire a été observé aux États-Unis, qui ont eu du mal à anticiper l'apparition du virus. En effet, ce pays regroupant près de 331 millions d'habitants[35], n'a été en capacité de produire que 7 580 tests par jour au maximum[36]. Mais la France et les États-Unis ne sont pas les seuls. Par manque de moyens, en Algérie, au Maroc, au Sénégal et sur l'ensemble du continent africain en général, le nombre de tests réalisés n'a pas été suffisant[37].

En France, le secteur des laboratoires privés est mis à l'écart dans la réalisation des tests, ce qui semble incompréhensible.

En période de crise, il est logique de faire appel à tous les moyens dont dispose un pays pour la résoudre. Or, dans la stratégie de dépistage promise par le gouvernement français, il semblerait que les laboratoires appartenant au secteur privé aient été exclus des arrêtés listant les professionnels prioritaires. Ceci ayant pour objectif de prioriser

---

[35] Countries in the world by population (2020), États-Unis, *www.worldometers.info/coronavirus*, 20 juin 2020.

[36] JT France 2, « États-Unis : pénurie de tests de dépistage au Covid-19 », France, *FranceInfo*, 13 mars 2020.

[37] Les données de dépistage de ces pays seront analysées plus en détail dans le cadre d'un autre livre dédié au confinement : le livre 15.

certains domaines professionnels quant à la distribution de masques ou tout autre matériel nécessaire à la production massive de tests de dépistage, tels que les écouvillons, par exemple, rappelle François Blanchecotte, président du Syndicat national des biologistes[38]. Alors que la stratégie du dépistage sélectif a été mise en œuvre, entre 400 et 500 laboratoires d'analyses médicales privés s'étaient déclarés prêts à effectuer des campagnes de dépistage. Ils n'ont pourtant pas été sollicités[39].

En France, le grand retard d'homologation des tests PCR vétérinaires impacte fortement les capacités de production de tests.

Le blocage administratif empêchant les laboratoires privés d'effectuer des tests n'est pas le seul problème ayant affaibli l'organisation française. En effet, depuis une loi du 30 mai 2013, les laboratoires vétérinaires ne peuvent plus traiter les prélèvements issus du corps humain[40]. Malgré l'appel à une mobilisation générale, lancé par Emmanuel Macron

---

[38] HOREL S., « Pourquoi la France ne dépiste pas davantage », France, *Le Monde*, 25 mars 2020.
[39] Ibid.
[40] WOESSNER G., « Comment la France se prive de 150 000 à 300 000 tests par semaine », France, *Le Point*, 3 avril 2020.

dès le 12 mars 2020[41], les laboratoires vétérinaires se voient confrontés aux lentes homologations du gouvernement. Ces laboratoires sont dotés d'un personnel formé et compétent, et sont aussi pourvus de matériels de pointe, capables de produire entre 150 000 à 350 000 tests PCR par semaine[42]. Ainsi, il ne manquait plus qu'un feu vert, de la part du gouvernement, pour permettre à ces laboratoires d'utiliser tous les moyens dont ils disposent, et ainsi produire un maximum de tests de dépistage. Ce n'est que le 5 avril 2020, soit près d'un mois après le début de la crise sanitaire, que le ministre des Solidarités et de la Santé, Olivier Véran, a permis aux laboratoires vétérinaires de produire des tests, via un décret les autorisant à participer à l'effort national, suspendant ainsi la loi du 30 mai 2013[43]. Ces laboratoires sont pourtant plus habitués que les autres à traiter de nombreuses analyses, et ce, grâce à de meilleurs équipements. Notamment par le biais des machines dites « ouvertes », capables de s'adapter à différents types de réactifs, contrairement aux machines de laboratoires de biologie médicale, qui, elles, sont « fermées ». Ces dernières ne fonctionnent qu'à

---

[41] MACRON E., « Coronavirus : Allocution d'Emmanuel Macron à propos du Covid-19 en France », France, *France 24*, 12 mars 2020.
[42] Ibid.
[43] WOESSNER G., « Coronavirus : les laboratoires vétérinaires commencent enfin les tests », *Le Point*, 8 avril 2020.

partir des produits de leurs fabricants[44]. Par conséquent, pour effectuer une politique de dépistage massif, telle que préconisée par l'OMS, il aurait fallu faire appel à un nombre maximal de laboratoires dès le début de la crise sanitaire. Le retard observé en France concernant l'homologation des différents types de laboratoires disponibles sur le territoire, a donc bien empêché la mise en œuvre de campagnes de dépistage massif.

Au regard du retard pris sur la mise en place d'une politique de dépistage de masse, des pays comme la France ou les États-Unis ont défini, comme unique alternative, le confinement pour éviter la propagation du virus. Toutefois, cet isolement général n'a pas permis de connaître précisément la part de la population véritablement infectée. En demandant à toutes les personnes de rester chez elles, ces pays n'ont pas pu isoler uniquement les personnes malades, ce qui a posé de nombreux problèmes.

Ces errements, cet attentisme selon certains, sont fortement dommageables, car ils expliquent pourquoi il a été impossible de mettre en place l'étape 2 de la méthode d'Asie de l'Est de lutte contre la pandémie[45] : TESTER. Ils expliqueront aussi

---

[44] Ibid.
[45] Pour rappel, la méthode d'Asie de l'Est de lutte contre la pandémie se décline en 4 étapes :

pourquoi il sera, par la suite, impossible de mettre en place l'étape 3 de cette même méthode : ISOLER LES MALADES.

***
**
*

---

1 – PROTÉGER ;
2 – TESTER ;
3 – ISOLER LES MALADES ;
4 – TRAITER.

CHAPITRE 3

L'IMPORTANCE DU DÉPISTAGE MASSIF ET DU TRACKING

Pourtant, tester est la clé pour isoler les malades, éviter les contaminations et en savoir plus sur le virus.

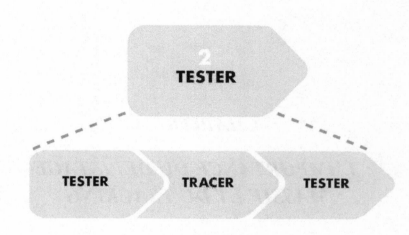

Tester est une étape essentielle de la méthode d'Asie de l'Est de lutte contre la pandémie. Généraliser les tests s'annonce nécessaire en cas de pandémie. Combiner une politique de dépistage massif à un tracking rigoureux des personnes malades est la clé pour isoler les malades, éviter l'augmentation des contaminations et en savoir plus sur le virus et son schéma de propagation.

La décision du directeur général de l'OMS d'appeler les pays à tester en masse ne s'est pas faite sans raison. On l'aura compris, le dépistage de masse est la seule véritable solution pour avoir à la fois un réel avis sur la part de la population infectée, voire immunisée contre le virus, et en savoir plus sur ce dernier. C'est une réalité : les pays qui ont mis très vite en œuvre des campagnes de dépistage massif ont été ceux qui s'en sont le mieux sortis. Il est donc certain, aujourd'hui, que le dépistage sélectif mis en place en France est dû essentiellement au manque de tests de dépistage sur le territoire. Toutefois, cela ne permet pas d'expliquer complètement la lenteur du gouvernement français, qui appelait pourtant à une « mobilisation générale[46] ». Toutes ces questions, relevant du domaine législatif et administratif, restent

---

[46] MACRON E., « Coronavirus : Allocution d'Emmanuel Macron à propos du Covid-19 en France », France, *France 24 YouTube*, 12 mars 2020.

aujourd'hui encore sans réponse. Peut-être les auditions parlementaires en cours apporteront-elles des éléments de réponses ? Néanmoins, les chiffres sont clairs : au 14 juin 2020, la France compte près de 29 600 morts du coronavirus, alors que l'Allemagne, fervente défenseuse de la stratégie des dépistages massifs, en compte près de 9 000, soit plus de trois fois moins[47].

Le 26 avril 2020, l'Allemagne comptait 30,4 tests pour 1 000 habitants, tandis que la France n'en comptait que 11,1[48]. La politique allemande concernant le dépistage massif s'inspire fortement du modèle de la Corée du Sud. L'Allemagne connaît l'un des plus faibles taux de mortalité du monde (0,5 %) en produisant plus de 500 000 tests par semaine[49]. « La raison pour laquelle l'Allemagne compte si peu de décès par rapport au nombre des personnes infectées peut s'expliquer par le fait que nous faisons beaucoup de diagnostics en laboratoire », explique Christian Drosten, un virologue de l'hôpital de la

[47] Total deaths, États-Unis, *www.worldometers.info/coronavirus*, 18 juin 2020.

[48] GAUDIAUT T., « Quels pays ont testé le plus leur population ? », France, *Statista*, 4 mai 2020.

[49] AFP, « Coronavirus : l'Allemagne effectue désormais 500 000 tests par semaine », France, *L'Express*, 26 mars 2020.

Charité, à Berlin[50]. Ainsi, la stratégie allemande a été de mobiliser les différents laboratoires présents sur le territoire, afin « d'effectuer des tests de manière massive et le plus rapidement possible[51] ». En somme, le gouvernement allemand investit énormément dans l'innovation et la recherche depuis toujours, ce qui a permis de faciliter la résolution de la crise. En outre, le ministère allemand de la Recherche veut « débloquer une enveloppe de 150 millions d'euros pour soutenir la mise en place d'un réseau permettant d'améliorer davantage les échanges entre laboratoires et hôpitaux universitaires[52] ». Ce réseau aura pour but « de compiler des données sur tous les patients atteints du Covid-19, afin d'avoir une vue d'ensemble de leurs antécédents médicaux et de leur constitution, et d'aider à concevoir un vaccin[53] ». En somme, les Allemands l'auront compris, ces campagnes de dépistage massif mises en œuvre dans tous les hôpitaux et laboratoires du pays, permettent à la fois d'avoir une vue d'ensemble de la proportion de la population infectée, mais également d'en savoir plus sur le virus, afin de faire avancer les études scientifiques et en particulier, le développement d'un

---

[50] Ibid.
[51] Ibid.
[52] Ibid.
[53] Ibid.

vaccin. C'est exactement ce qui est recherché par le Pr Didier Raoult, lorsqu'il préconise la mise en place de dépistages massifs dans l'ensemble du pays, afin d'analyser le virus en profondeur, et d'identifier avec certitude ce qui est véritablement efficace.

L'exemple de la Corée du Sud, qui a pratiqué le dépistage massif et le *tracking*, demeure un modèle pour de nombreux pays.

L'étape 2 de la méthode d'Asie de l'Est de lutte contre la pandémie, qui repose sur cette politique de dépistage massif mise en œuvre dès le début de l'épidémie, aurait sans doute pu éviter de nombreux impacts négatifs, dont le confinement, que nous nous attacherons à analyser dans les prochains ouvrages de cette série. La Corée du Sud, qui fait office de modèle en termes de dépistage massif, a su mettre en place une stratégie mêlant information du public, participation de la population et campagnes massives de dépistage[54]. En traçant les personnes infectées, les proches de ces dernières sont recherchées de façon à se faire dépister presque automatiquement. En effet, le type d'application utilisée a pour objectif de suivre la propagation du virus à travers diverses techniques

---

[54] AFP, « Séoul, l'élève modèle de la lutte contre le coronavirus », France, *Le Point*, 11 mars 2020.

(GPS, Bluetooth, reconnaissance faciale…), en prenant appui sur la collecte de données via le Smartphone d'un individu[55]. En outre, les déplacements des personnes contaminées, avant qu'elles ne soient testées positives, sont suivis à travers des caméras de vidéosurveillance, par l'utilisation de leur carte bancaire ou via les modalités de géolocalisation de leur Smartphone, afin d'être rendus publics. De surcroît, des notifications sont envoyées à la population quand un nouveau cas est détecté près de leur domicile ou de leur lieu de travail[56]. Cette politique de dépistage, fondée sur le *tracking*, a été mise en œuvre très tôt. Et, cela tout en continuant d'effectuer environ 10 000 tests de dépistage par jour[57], faisant ainsi de la Corée du Sud le pays dans lequel ont été réalisés le plus grand nombre de tests[58].

Cela a été possible grâce à la mobilisation générale de toutes les structures pouvant effectuer ces tests. En effet, Séoul a créé des « cliniques ambulantes », selon

---

[55] CHERIF A., « Tracking du Covid-19 : Comment font les autres pays ? », France, *La Tribune*, 9 avril 2020.

[56] AFP, « Séoul, l'élève modèle de la lutte contre le coronavirus », France, *Le Point*, 11 mars 2020.

[57] Ibid.

[58] ANDRE J., « Comment les tigres asiatiques ont dompté l'épidémie ?», France, *Le Point*, 17 mars 2020.

leur appellation, dont le but est de faciliter l'accès de la population aux tests. Le pays a pris en charge toutes les cliniques, afin qu'elles soient toutes capables de réaliser des tests de manière importante et efficace. Dès l'apparition du virus en Chine, la Corée du Sud – nous l'avons déjà dit – donnait son feu vert à la mise à disposition des cliniques, d'un tout nouveau test diagnostiquant le Covid-19 en six heures[59]. En outre, le 27 février 2020, alors qu'il n'y avait que quatre cas sur le territoire coréen, les autorités sud-coréennes ont fait appel aux représentants d'une vingtaine de laboratoires privés du pays en leur demandant de développer au plus vite un test. « Nous pensons qu'il faut effectuer un maximum de tests pour détecter le plus tôt le plus de contaminés possible, afin de freiner la propagation à d'autres », déclare le Pr Choi Ji-won, dirigeant une clinique privée d'Anseong, à 80 km au sud-est de Séoul[60]. « Les tests sont une mesure initiale cruciale pour contrôler un virus », estime Masahiro Kami, de l'Institut pour la recherche sur les politiques médicales, situé à Tokyo. « C'est donc un bon modèle

---

[59] AFP, « Séoul, l'élève modèle de la lutte contre le coronavirus », France, *Le Point*, 11 mars 2020.
[60] MESMER P. et THIBAULT H., « En Corée du Sud, des tests massifs pour endiguer le Covid-19 », France, *Le Monde*, 20 mars 2020.

pour tous les pays[61] ». Du fait de la mobilisation générale de tous les moyens du pays, ainsi que de la mise en place rapide d'une application de *tracking* de la population, l'organisation de la Corée du Sud s'est montrée vraiment efficace face à celles des autres pays.

Le retard concernant le *tracking* des personnes et la mise en place tardive des applications, ont retardé le déconfinement dans de nombreux pays.

Par refus, au nom des principes démocratiques, de mettre en place des applications de *tracking* des personnes infectées par le coronavirus, la France a intensifié son retard sur le reste du monde. Fonctionnant principalement grâce à des procédés de traçage numérique, ces applications ont très vite trouvé leur place au sein de la lutte contre le coronavirus. Si certains pays les ont mises en place très tôt, ces applications font polémique en raison de leur impact, plus ou moins dangereux, sur le respect de la vie privée.

Ainsi, dès le début de l'épidémie, la Pologne a mis en place une application qui demande aux utilisateurs,

---

[61] AFP, « Séoul, l'élève modèle de la lutte contre le coronavirus », France, *Le Point*, 11 mars 2020.

de manière aléatoire, plusieurs fois par jour, de se géolocaliser par l'envoi d'une photo d'eux-mêmes, prise sur le moment[62]. Sans réponse, les forces de l'ordre polonaises se rendent au domicile des personnes concernées. Cette même stratégie a été mise en œuvre à Taïwan, à travers des dispositifs de géolocalisation pour les personnes infectées ou revenant de l'étranger[63]. Nous pouvons donc dire que ces pays ont décidé de rapidement agir dans la lutte contre le Covid-19, par des moyens qui sont considérés par certains comme contraires aux libertés individuelles mais, rappelons-le, mis en œuvre dans des circonstances exceptionnelles de crise.

D'autres ont pris un temps de retard, par respect pour la protection des données personnelles. Ainsi, le 27 mai 2020, le Parlement français approuve enfin l'application StopCovid pour aider à lutter contre le virus[64]. Toutefois, à l'image de l'application allemande[65], StopCovid ne se fonde pas sur la géolocalisation, mais sur le Bluetooth. Le but étant

---

[62] CHERIF A., « *Tracking* du Covid-19 : Comment font les autres pays ? », France, *La Tribune*, 9 avril 2020.
[63] Ibid.
[64] AFP, « Coronavirus : le Parlement approuve l'application StopCovid », France, *Le Point*, 28 mai 2020.
[65] CHERIF A., « *Tracking* du Covid-19 : Comment font les autres pays ? », France, *La Tribune*, 9 avril 2020.

d'identifier les personnes ayant potentiellement été exposées au virus, à la suite de leur rencontre avec des personnes infectées (avec ou sans symptômes)[66]. Ce type d'application fournit un identifiant à chaque utilisateur et détecte par Bluetooth, jusqu'à plusieurs mètres, les Smartphones avec la même application, afin d'estimer la distance entre chaque personne et le temps de contact[67]. Si l'un des utilisateurs se révèle être porteur du virus, il se doit de le signaler dans l'application, afin de se faire connaître des autorités, et prévenir les autres utilisateurs qui auraient été en contact avec lui par l'envoi d'une notification.

L'application « Wiqaytna », fondée sur les mêmes procédés, a également été mise en place au Maroc. Cette application est pensée comme étant une solution technologique pour appuyer le dispositif national dans la lutte contre le coronavirus, en invitant les usagers à continuer de respecter les gestes barrières et les distances de sécurité[68]. Le cas de la Chine est particulièrement intéressant, car elle est très en avance d'un point de vue technologique, du moins en ce qui concerne le monde digital. L'application de *tracking* chinoise a très vite été mise en place,

---

[66] Ibid.
[67] Ibid.
[68] « Coronavirus : L'Appli "Wiqaytna" désormais disponible », France, *Hespress*, 1er juin 2020.

facilitée par le système des comités de quartier, mais surtout par la puissance des grandes entreprises digitales chinoises. Cette application a pour objectif principal de suivre les allées et venues des personnes pour savoir si elles ont été en contact avec d'autres testées positives[69]. À travers une banque de données fournies par de grosses entreprises chinoises et des services de géolocalisation (paiements, informations d'opération de pistage géographique de la population…), il est devenu impossible de mentir aux autorités. Certains vont même jusqu'à laisser leur portable à la maison avant d'aller se balader, par peur de se faire tracer et ainsi, de prendre le risque de se retrouver en isolement, du fait d'une mauvaise rencontre, c'est-à-dire d'une personne contaminée[70].

En somme, ces applications pourraient être un outil quotidien pour bon nombre d'entre nous. Elles pourraient même aider les autorités à avoir une vision et des informations claires sur la part de la population réellement infectée. Toutefois, que ce soit en France ou au Maroc, il a fallu attendre l'approche du déconfinement pour qu'elles puissent enfin voir le jour, notamment en raison des débats sur les

---

[69] ANDRÉ D., Interview réalisée par Guy Courtois, Beijing, Chine, juin 2020.
[70] Ibid.

éventuels dangers[71] que représente ce type de mesure, alors que ces deux applications sont présentées comme temporaires, volontaires et transparentes[72]. Mais ces applications ont-elles été utiles, dans la mesure où elles ont été mises en place assez tardivement ? De plus, nous pouvons nous demander si la population en fera un bon usage, ou même usage tout court. En ce sens, un sondage réalisé par le journal *Le Point* répond à cette dernière interrogation de manière assez éloquente. En effet, près de 75 % des Français ont répondu non à la question : « Allez-vous télécharger l'application StopCovid[73] ? »

Par ailleurs, nous savons désormais que les résultats attendus pour cette application ne sont pas à la hauteur des espérances. Le secrétaire d'État au Numérique, Cédric O, annonce le 23 juin que « depuis la mise en service de l'application, seulement 14 cas de risque de contamination ont été

---

[71] BEMBARON E., « L'appli StopCovid déjà critiquée par de nombreux chercheurs », France, *Le Figaro*, 24 avril 2020

[72] AFP, « Coronavirus : le Parlement approuve l'application StopCovid », France, *Le Point*, 28 mai 2020.

[73] Question du Point, « Allez-vous télécharger l'application StopCovid ?», 75 % au moment où nous avons consulté le site le 2 juin, France, *Le Point*, 2 juin 2020.

signalés[74] ». Aussi, à cette même date, on ne comptait que 68 personnes ayant « utilisé l'application pour prévenir de leur contamination les personnes qu'elles ont croisées[75] ». Quant à l'exemple britannique, il n'est pas plus brillant. En effet, ayant pris du retard dans leur application de *tracking*, et concluant qu'elle manque de fiabilité, notamment sur les calculs de distances, le gouvernement britannique abandonne son installation le 19 juin 2020[76]. Toutefois, les autorités britanniques partageront leurs travaux afin d'établir une meilleure solution[77].

***

**

*

---

[74] AFP, « Coronavirus. L'application StopCovid a signalé seulement 14 cas de risque de contamination », France, *Ouest-France,* 23 juin 2020.

[75] Ibid.

[76] « Le gouvernement britannique abandonne l'application de suivi des contacts similaire à StopCovid », France, Services Mobiles, 19 juin 2020.

[77] Ibid.

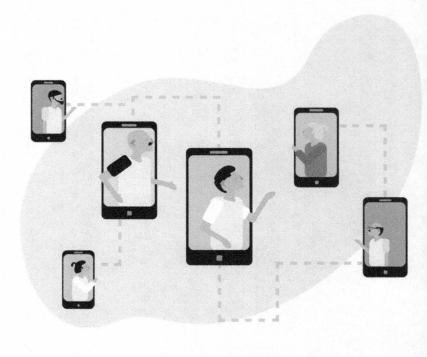

CHAPITRE 4

MAUVAISES DÉCISIONS, MANQUEMENTS ET INCOMPRÉHENSIONS

La fermeture des frontières se présente comme une possible solution face à la pénurie de tests.

Lorsque l'on parle de tests, il semble inévitable de parler des tests de personnes venant d'autres pays. Nous l'avons vu, Didier Raoult préconise de tester directement les personnes dans les avions. Sans doute trop en avance sur ce que les pays sont capables de faire, il reste néanmoins la capacité de tester les gens lors de leur arrivée dans le pays. C'est ce que font la Chine et les États-Unis avec des contrôles de température. Puis, pour la Chine, une interdiction de décoller ou un renvoi direct au pays des personnes dont la température indique des signes de possible maladie.

Après le premier cas de coronavirus au Maroc, remontant au 2 mars 2020[78], le gouvernement marocain n'a attendu que dix jours pour fermer ses lignes aériennes et maritimes en liaison avec la France[79]. Pour ce pays en voie de développement, l'apparition d'un virus tel que celui-ci s'annonce

---

[78] AFP, « Le bilan du coronavirus : premier cas confirmé au Maroc tandis qu'en Chine, l'épidémie faiblit », Belgique, *RTL Info*, 2 mars 2020.
[79] « ÉPIDÉMIE - En raison des nombreux cas constatés dans l'Hexagone, le Royaume a décidé de fermer les lignes aériennes et maritimes en liaison avec la France. », France, *LCI*, 13 mars 2020.

comme une véritable apocalypse, au regard du faible nombre de lits de réanimation disponibles sur l'ensemble du territoire. En effet, au début de l'épidémie, le Maroc comptait 800 lits de réanimation sur son territoire, tandis qu'en mai 2020, il y avait aux alentours de 1 200 lits[80]. Ainsi, la fermeture des frontières et la production massive de tests de dépistage, ont été les seules solutions adoptées pour que le pays puisse faire face à la crise.

La France, par la voix de son président de la République, explique qu'elle ne fermera pas ses frontières. Une position défendue avant tout pour des raisons idéologiques et non sanitaires. Cela lui sera fortement reproché. En effet, la fermeture des frontières en France aurait dû immédiatement s'imposer comme la conséquence des pénuries de masques et de tests précédemment expliquées. S'il est impossible de tester toutes les personnes présentes sur le territoire, comment permettre l'arrivée de personnes en provenance de l'étranger si elles ne peuvent pas, non plus, être testées ? Soyons clairs, nous ne sommes pas pour la fermeture systématique des frontières, mais elle semble s'imposer quand un pays n'est pas en mesure de tester les nouveaux venus.

---

[80] Source rapportée par un de nos correspondants au Maroc.

La situation est radicalement différente en Corée du Sud, qui a été en mesure de prendre la décision de ne pas fermer ses frontières[81]. Toutes les arrivées sur le territoire sont contrôlées, tous les individus sont dépistés et leur température est vérifiée. Ainsi, en cas de doute ou de présence effective du virus, la Corée du Sud impose de placer ces personnes en quarantaine pendant 14 jours[82]. Ce même phénomène a été repris au Mexique, qui a décidé de maintenir la grande majorité de ses vols internationaux, tout en prenant la température de tous les voyageurs à leur arrivée et en leur demandant de remplir un formulaire[83].

D'autres pays, tels que le Canada ou le Japon, ont opté pour une fermeture partielle de leurs frontières, limitant alors drastiquement le nombre de vols arrivant sur le territoire tout en gardant un contrôle sanitaire important[84]. Selon Franck Molina, spécialiste de l'innovation dans le dépistage au CNRS de Montpellier, « il faut s'armer pour la période post-confinement pour ne pas reproduire les lacunes de notre préparation avant la pandémie [...] Il ne faut pas

---

[81] LICOURT J., « Coronavirus : découvrez les pays qui réouvrent leurs frontières », France, *Le Figaro*, 15 mai 2020.
[82] Ibid.
[83] Ibid.
[84] Ibid.

se rater sur le dépistage. Cela doit même être l'une des clés de la réussite[85] ».

La confusion règne au sujet des tests sérologiques, qui sont pourtant au cœur de la politique de déconfinement.

Si le prolongement du confinement a été la seule alternative[86] trouvée par les autorités françaises pour pallier la pénurie des tests, qui n'en est qu'une parmi d'autres, il est évident que cela a entraîné un énorme flou concernant la proportion réelle de la population infectée. Or, connaître cette proportion aurait été un immense atout pour déconfiner.

Alors, comment rattraper le temps perdu et agir efficacement durant la stratégie de déconfinement ? Le Premier ministre Édouard Philippe, lors de son intervention du 19 avril 2020 présentant la politique de déconfinement[87], confirme que les tests de dépistage constituent le deuxième pilier de ladite

---

[85] DOS SANTOS G. et TOURBE C., « Les tests, armes de déconfinement massif », France, *Le Point*, 2 avril 2020.

[86] BÉGUIN F. et HECKETSWEILER C., « En France, sûrement prolongée, avant la mise en place de tests à grande échelle », France, *Le Monde*, 25 mars 2020.

[87] PHILIPPE E., « Déconfinement : la conférence de presse d'Édouard Philippe et Olivier Véran », France, *Le Point YouTube*, 20 avril 2020.

politique. L'objectif étant de tester « vite et massivement tous ceux qui sont susceptibles de porter [le virus], tous ceux qui présentent des symptômes ou qui ont été en contact avéré avec un malade ». Certes, on est encore loin des campagnes massives de dépistage où l'ensemble de la population est testé, mais on se rapproche tout de même d'une politique semblable à celle de l'Allemagne ou de la Corée du Sud. Comme nous l'avons vu, il faut distinguer les tests PCR des tests sérologiques.

Les tests sérologiques sont au cœur des politiques de déconfinement, et ce, dans tous les pays. En effet, ils consistent à savoir si une personne a déjà été en contact avec le coronavirus par l'étude de ses anticorps[88]. L'objectif étant de rechercher les anticorps spécifiques du virus dans un échantillon de sérum sanguin. Ainsi, ils permettent d'avoir une vision claire sur la part de la population réellement infectée, voire immunisée[89].

Toutefois, ces tests font l'objet de nombreuses confusions et d'incertitudes scientifiques quant à leur efficacité. En effet, selon certains, les études n'ont pas encore clairement démontré que les personnes qui ont été infectées développent une immunité face au

---

[88] JÉRÔME V. et WOESSNER G., « La HAS écarte les tests sérologiques pour le grand public », France, *Le Point*, 2 mai 2020.
[89] Ibid.

virus. En raison de ce manque de certitude, la Haute Autorité de la santé (HAS) en déconseille l'usage pour la mise en place de campagnes de dépistage à grande échelle[90]. Pour les experts de cette autorité indépendante, il existe, certes, des tests permettant de démontrer avec certitude qu'une personne a bien été exposée au Covid-19 (en vérifiant si elle a bien développé des anticorps), mais qui ne « permettent pas de statuer sur une potentielle immunité protectrice, ni *a fortiori* sur sa durée. Et ils n'apportent pas d'information sur la contagiosité[91] ». En conséquence, la HAS, écarte les tests sérologiques du grand public, par principe de prudence, même si elle reste susceptible de changer de discours au fur et à mesure de l'état d'avancement des études scientifiques. Ces tests sérologiques doivent être utilisés uniquement à des fins médicales, « dans le cadre d'une prise en charge individuelle », car ils peuvent induire en erreur vis-à-vis de la véritable immunité des personnes testées. De ce fait, le 2 mai 2020, la HAS rend un dernier avis dans lequel elle déclare vouloir éviter l'utilisation en masse de ces tests sérologiques[92]. D'autant plus que la crainte d'un relâchement des gestes barrières et des mesures

---

[90] Ibid.
[91] Ibid.
[92] Ibid.

sanitaires de sécurité, pourrait accroître l'éventualité d'une seconde vague de l'épidémie.

Mais cela entre en contradiction avec l'annonce du ministère des Solidarités et de la Santé, à la fin du mois de mars 2020, concernant le préachat par le gouvernement de 5 millions de tests sérologiques, afin d'être en mesure d'accélérer le processus de déconfinement[93]. L'objectif était de mettre en place des « passeports d'immunité » pour laisser la possibilité aux personnes de circuler librement. Ce dernier objectif n'étant plus de mise par la suite, la HAS a décidé de restructurer le mode d'utilisation de ces tests. Désormais, ils devront être réalisés uniquement par ordonnance, et leur champ de prescription et de remboursement est limité à trois cas de figure. Premièrement, pour confirmer un diagnostic en « l'absence ou en complément des tests PCR ». Deuxièmement, pour dépister l'infection chez le personnel en première ligne de l'épidémie, même asymptomatique, dans les milieux médicosociaux, ou travaillant dans des milieux confinés. Et troisièmement, « pour les enquêtes épidémiologiques[94] ». Néanmoins, il est nécessaire de rappeler que l'avis de la HAS n'est pas contraignant,

---

[93] Ibid.
[94] FOUCART S. et HOREL S., « Coronavirus : le grand flou des tests sérologiques », France, *Le Monde*, 19 mai 2020.

et que le ministère de la Santé peut décider de ne pas suivre ces recommandations.

De plus, ces tests sérologiques se divisent en quatre grandes catégories. Tout d'abord, l'avis de la HAS, exposé précédemment, se concentre sur les tests sérologiques appelés ELISA[95], les plus fiables à ce jour. Il existe deux autres types de tests sérologiques dits « unitaires[96] » : les tests de diagnostics rapides (TDR) réalisés en laboratoires de biologie médicale avec les mêmes indications que les tests ELISA, et les tests rapides d'orientation diagnostique (TROD) réalisés hors laboratoires (en pharmacie, par des médecins de ville ou par des infirmiers…). Tous trois sont recommandés par la HAS. Le dernier type de test sérologique, l'autotest, effectué à domicile par le patient, est très peu fiable. Ainsi, la HAS ne le recommande pas, et pour cause, elle estime qu'il y aurait trop d'incertitudes concernant les « modalités

---

[95] « La technique de dosage d'immunoabsorption par enzyme liée (en anglais Enzyme-Linked Immuno Assay) ou ELISA est principalement utilisée en immunologie afin de détecter et/ou doser la présence de protéines, d'anticorps ou d'antigènes, dans un échantillon. Elle est notamment utilisée pour le dépistage du VIH, et permet de déterminer la concentration d'anticorps dirigés contre le virus. », Suisse, *www.bioutils.ch.* [En ligne], juin 2020.
[96] FOUCART S. et HOREL S., « Coronavirus : le grand flou des tests sérologiques », France, *Le Monde*, 19 mai 2020.

d'interprétation[97] ». Toutefois, ce dernier serait plus facile d'accès pour tous, et peut faciliter l'identification des personnes ayant été en contact avec le virus.

Malgré les doutes et incertitudes scientifiques qui règnent autour de ce test, il semble nécessaire de le mettre en œuvre, afin de pouvoir dépister massivement la population, comme préconisé par les expertises internationales, et d'avoir une estimation du taux d'immunité d'une population. En outre, en période de crise, il semble évident qu'il faut employer toutes les ressources disponibles pour la résoudre efficacement et rapidement.

***

**

*

---

[97] Ibid.

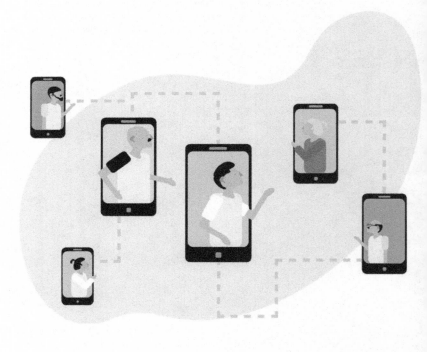

CONCLUSION

En France, nous pouvons parler d'un véritable scandale des tests qui aurait pu être évité, si nous nous étions mis en mode « gestion de crise ».

Le Pr Didier Raoult préconisait la mise en œuvre de dépistages massifs en février 2020[98], dès le début de la crise sur le territoire français. Les autorités françaises ont pris un retard considérable sur le reste du monde quant à leurs politiques de dépistages malgré tous les moyens humains et matériaux présents sur le territoire. Malgré tout, des efforts importants ont été apportés. Bruno Lina, membre du Conseil scientifique, affirme d'ailleurs, lors d'une audition parlementaire le 18 juin 2020 que « c'est la première fois que mon laboratoire a fait 300 tests par jour. Cela n'existait pas avant. Avec une forte demande mondiale, on s'est retrouvé dans un contexte sans écouvillon et sans kit. Il a fallu travailler en permanence pour adapter cette situation. On faisait des échanges de prélèvements. Dès le début du mois de février, on a commencé à comprendre les difficultés pour avoir des tests. On s'est tourné vers

---

[98] RAOULT D., « Coronavirus : moins de morts que par accident de trottinette », France, *IHU Méditerranée Infection YouTube,* 17 février 2020.

les fournisseurs[99] ». Les autorités françaises ont essayé de se rattraper avec leur stratégie de déconfinement, avec un succès mitigé.

---

[99] MICHALIK M.-L., « Commission d'enquête Covid-19 : revivez l'audition de Jean-François Delfraissy », France, *Le Figaro*, 18 juin 2020.

IMPRÉPARATION ET ABSENCE DE TESTS EN FRANCE

ATTENTISME

RETARD DANS LE RECOURS AUX LABORATOIRES PRIVÉS

RETARD DANS LE TRACKING

RETARD DANS L'HOMOLOGATION DES LABORATOIRES VÉTÉRINAIRES

RETARD DES TESTS SÉROLOGIQUES

INCAPACITÉ À APPLIQUER LA MÉTHODE RAOULT

INCAPACITÉ À TESTER

INCAPACITÉ À ISOLER LES MALADES

Source : Guy Courtois

88

Lors de la visite surprise du président de la République Emmanuel Macron au Pr Didier Raoult, le 9 avril 2020, ce dernier donne « une formidable légitimation de ce chercheur[100] ». À la suite de sa visite, Emmanuel Macron donne raison à la stratégie des tests illustrée par l'approche guerrière de Didier Raoult. Il déclare : « Il a eu raison avant les autres sur la question des tests. Il les a faits parfois sans la bonne méthodologie, mais il a eu raison, comme sur la question des laboratoires vétérinaires. C'est ainsi que nous avons ensuite mobilisé les laboratoires vétérinaires. Il a eu des intuitions[101] ». Ainsi, par cette intervention, le président de la République française reconnaît à la fois le retard pris par le gouvernement dans la gestion des tests, mais il souligne également la pertinence de la deuxième étape de la méthode d'Asie de l'Est de lutte contre la pandémie[102] : TESTER.

---

[100] AFP, « Coronavirus : Emmanuel Macron s'est entretenu avec le Pr Raoult », France, *Le Point*, 10 avril 2020.
[101] MAHRANE S., « Emmanuel Macron : « Didier Raoult incarne un phénomène social », France, *Le Point*, 28 mai 2020.
[102] Pour rappel, la méthode d'Asie de l'Est de lutte contre la pandémie se décline en 4 étapes :
1 – PROTÉGER ;
2 – TESTER ;
3 – ISOLER LES MALADES ;
4 – TRAITER.

Il est désormais évident qu'il existe un lien étroit entre la mise en place rapide du dépistage massif et une bonne gestion de la crise face au coronavirus. Aujourd'hui, à partir de toutes les données dont nous disposons, nous constatons que les pays ayant suivi ce que nous appelons la méthode d'Asie de l'Est de lutte contre la pandémie, ont mieux réussi à gérer la crise. Les chiffres en témoignent : la mortalité est nettement plus basse dans les pays ayant testé en masse[103]. Nous en reparlerons en détail dans l'ouvrage consacré à la surmortalité. De ce fait, nous pouvons clairement parler d'un manquement considérable dans la politique gouvernementale des tests, une faillite qui d'ailleurs concerne d'autres pays et pas seulement la France. Il est souvent expliqué que cette crise du coronavirus a inversé l'échelle des valeurs, car les grandes puissances économiques dans le monde, telles que la France et les États-Unis ont dû affronter des pénuries qu'ils n'ont pas anticipées. Et qu'ils n'ont par la suite pas su résoudre de manière satisfaisante.

---

[103] COURTOIS G., Livre n° 15 de la série Covid-19 : « Covid-19 : confinement et surmortalité », France, Investigation éditions, juillet 2020.

Pourquoi le *tracking* des personnes contaminées est-il considéré comme une atteinte à la vie privée ?

« Nul ne sera l'objet d'immixtions arbitraires dans sa vie privée, sa famille, son domicile ou sa correspondance, ni d'atteintes à son honneur et à sa réputation. Toute personne a droit à la protection de la loi contre de telles immixtions ou de telles atteintes ».

Déclaration universelle des droits de l'homme, article 12.

Ce livre est – semble-t-il – l'occasion de nous interroger sur les applications de *tracking* que ce soit en France, en Corée du Sud, en Allemagne ou à Taïwan. Elles ont été largement critiquées. Est-il réellement possible de mettre en place de telles applications dans des démocraties occidentales ? Ces applications, dans leur mode de fonctionnement sont-elles conformes aux principes des libertés individuelles fondamentales telles que nous les concevons et les défendons en Occident et en particulier au principe du respect de la vie privée ? Ces questions méritent réflexion, car elles feront certainement partie de l'arsenal des solutions de demain, pour faire face à une nouvelle crise. Il y a, semble-t-il, une tension permanente entre nos exigences fondamentales de sécurité et de liberté, si bien que toute tentative de répondre à l'une semble contrevenir à l'autre.

Tout d'abord, le *tracking*, et la collecte des données personnelles en général, ne sont pas des phénomènes inconnus de nos sociétés occidentales. En effet, dans les grandes villes, nous sommes surveillés en permanence par des caméras de sécurité, dans les rues ou dans les transports en commun. Ces images n'ont pas de fins individuelles, mais servent surtout aux forces de l'ordre ou à la justice en cas de besoin. Ce phénomène fait partie de notre quotidien, et pourtant peu d'entre nous aujourd'hui semblent s'y opposer, tant ils ont montré leur efficacité. Les États ont pour objectif principal de protéger leurs populations, il semble alors normal qu'il existe, pour ceux qui en ont les moyens, diverses techniques afin d'assurer cette protection. Ces images enregistrées peuvent servir l'intérêt général.

Par ailleurs, nous sommes désormais à l'ère de la digitalisation massive où les réseaux sociaux sont rois. Aujourd'hui, la communication se fait à travers différentes applications qui collectent constamment nos données. En effet, que ce soit par le visionnage d'une vidéo sur YouTube, une publication sur Facebook ou Instagram, ou encore lors de l'achat d'un quelconque produit sur internet, nos données personnelles sont collectées en permanence de façon plus ou moins visible. Cela permet alors, à des entreprises d'établir un portrait type de chaque personne, en tant que consommateur. Sans compter toutes ces applications qui nous géolocalisent constamment, et qui sont capables de retracer tous nos faits et gestes au profit de ces mêmes entreprises, pouvant ensuite influencer à la fois notre consommation de contenu sur les réseaux sociaux ou notre prochain achat. Tout ceci fait partie intégrante de la vie des citoyens dans les sociétés occidentales, pour ne pas dire du reste du monde, et pourtant personne ne semble vraiment s'y opposer. On pourra mettre en avant les nombreux débats qui le dénoncent, mais dans la réalité, rares sont les personnes qui quittent l'usage de ces applications.

En conséquence, il semble légitime de se demander pourquoi nous n'acceptons pas cette intrusion dans nos vies lorsqu'il s'agit d'un État souhaitant lutter contre une pandémie. Quand nous faisons face à une crise sanitaire dans laquelle chacun de nous représente un risque potentiel pour autrui, il semble nécessaire de mettre en œuvre tous les moyens dont nous disposons, afin de protéger le plus grand nombre. Il s'agit de trouver l'équilibre entre la sécurité sanitaire de tous, et le respect de la vie privée. Ainsi, si les États qui en ont les moyens, sont tout à fait à même de mettre en place de telles applications d'un point de vue technique, il semble qu'ils ne le soient pas vraiment d'un point de vue moral. En tous les cas, pour une part non négligeable de la population. Certains trouveront cela dommage, car ces outils permettent d'avoir une vision globale de la proportion de la population infectée. Ils permettent également de pouvoir avertir un maximum de personnes quant à une éventuelle nouvelle personne contaminée proche de ces dernières. Mais surtout, ils permettent la mise en place avec succès de l'étape 2 de la méthode d'Asie de l'Est de lutte contre la pandémie : TESTER, étape indispensable pour passer à l'étape 3-ISOLER LES MALADES.

Ce sont donc deux visions qui s'opposent avec chacune leur scandale.

D'un côté les États ayant appliqué la méthode d'Asie de l'Est qui ont choisi de privilégier la santé et la sécurité de leur population au détriment des libertés individuelles. Comment justifient-ils l'application d'une politique liberticide au sein d'États qui se revendiquent démocratique ?

De l'autre, des États ayant opté pour une politique considérée moins liberticide au détriment d'une gestion plus efficace de la crise sanitaire et par conséquent de leur population. Ne pouvons-nous pas affirmer que le confinement, la fermeture des restaurants, de certains commerces et l'interdiction

des déplacements de loisirs sont tout autant
liberticides ?

***

**

*

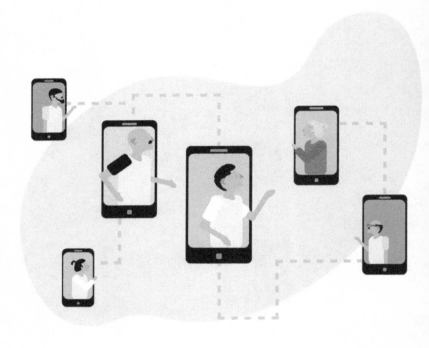

TÉMOIGNAGE DE FENG FENG

Nous reproduisons ici une interview[104] de Feng Feng[105] réalisée en juin 2020. Elle y aborde le sujet de l'application de la méthode d'Asie de l'Est de lutte contre la pandémie, qui se décline, rappelons-le, en quatre étapes :

1 – PROTÉGER ;
2 – TESTER ;
3 – ISOLER LES MALADES ;
4 – TRAITER.

Nous remercions Feng Feng de nous avoir permis de reproduire la transcription de cette interview.

****
***
*

---

[104] Interview, réalisée par Guy Courtois, de Feng Feng qui habite actuellement dans le centre de Pékin, en Chine.
[105] Pour des raisons professionnelles, l'interviewée a souhaité conserver son anonymat. Nous avons donc changé son nom.

Comment la Chine s'est-elle protégée ?

L'objectif pour la chine était de réduire les taux de contaminations du Covid-19 au plus bas possible et pour cela elle n'a pas hésité à recourir à tous les moyens possibles pour y arriver. L'idée principale, pour elle, est que si l'on contient le virus à des niveaux extrêmement bas dès le début, on évite la propagation dans le reste du pays. Pour la chine, se protéger équivaut à utiliser tous les moyens disponibles. Cela se traduit par l'éducation et la sensibilisation de la population à tous les gestes barrières. La télévision nationale CCTV a d'ailleurs joué un rôle important dans cette sensibilisation.
C'est aussi mettre en place des confinements très localisés et de courtes durées afin d'impacter le moins possible l'économie nationale. C'est également protéger les frontières et imposer des tests systématiques à toutes les personnes voulant entrer dans le pays et mettre en place des quarantaines obligatoires quand cela est nécessaire.

La Chine a-t-elle imposé le masque à tout le monde, à toute la Chine ?

Effectivement, le masque a été imposé dans toute la Chine, dans tout l'espace public, notamment dans les administrations, les magasins, les restaurants, les galeries commerciales...

Dans la rue, à Pékin, le masque est fortement recommandé. Une grande majorité des Chinois le porte au point où les personnes n'ayant pas de masque étaient très mal vues.

D'ailleurs, la Chine a manqué de masques à un moment donné. La Chine ne fabriquait pas assez de masques alors qu'on était en pleine épidémie. Mais la Chine, à ce moment-là, transforme une partie de ses chaînes de production – textile notamment – en chaîne de production de masques. Certaines usines se sont tout de suite transformées pour fabriquer des masques. Mais avant cela, la Chine a été en manque de masques ; on n'en trouvait pas à Pékin. C'est pourquoi, la Chine, en pleine épidémie, a lancé un appel à l'aide internationale, début février 2020, du fait de ce manque de masques. C'est pour cela que la France a envoyé des masques à la Chine, mais aussi du matériel médical, des combinaisons et du gel.

Qu'a fait la Chine en termes de tests et de *tracking* ?

La Chine a entrepris une opération massive de dépistage. À Pékin, par exemple, en deux semaines, ils ont déjà dépisté 2,3 millions d'habitants, ce qui veut dire que plus de 10 % de la capitale a été dépistée.

Ils ont mis en place un système pour optimiser la consommation des tests, afin d'être capables de tester plus de monde. Ils font un prélèvement dans la gorge de cinq personnes et analysent les résultats sur ce groupe de cinq. Si le groupe est négatif, c'est OK. Si un groupe est positif, alors ils rappellent ces personnes et font des tests individuels, et ce, afin d'optimiser le processus et de gagner en efficacité.

Cette optimisation est nécessaire pour de multiples raisons. Par ailleurs, il y a des files d'attente très longues pour se faire tester, ce qui présente un risque, car tout le monde est serré les uns contre les autres. Bien que chaque personne porte un masque, la situation demeure dangereuse.

Tout cela découle d'un rebond épidémique sur le plus gros marché alimentaire d'Asie, à 14 kilomètres de Pékin. Plusieurs vendeurs ont été testés positifs au Covid-19. Ils ont donc dépisté les 8 000 vendeurs et tout le quartier, soit presque 50 000 personnes. Dès qu'un vendeur est testé positif, il est isolé et toutes les personnes de l'entourage sont testées. Il y a donc énormément de tests.

Aujourd'hui, la Chine est très réactive et proactive sur la question des tests et du *tracking*. Mais cela n'a pas toujours été le cas en Chine. Lors du confinement, au début de l'épidémie, la Chine ne testait pas. À

Wuhan, les hôpitaux étaient débordés, manquant de machines respiratoires. Ils ont dû construire des hôpitaux de campagne, des hôpitaux provisoires, l'armée est venue en renfort... Et la Chine n'a pas dépisté tout de suite, car pour dépister, il fallait tout d'abord isoler le virus. Au début, on était dans une épidémie de coronavirus de type SRAS, mais il fallait le séquencer. C'est seulement après avoir séquencé le virus qu'ils ont pu mettre en place le dépistage.

Ils ont uniquement commencé à massivement dépister, à Pékin, à partir de l'apparition du nouveau foyer infectieux. Ils ont pris ce foyer très au sérieux, afin d'essayer d'enrayer la contagion : fermeture des écoles, fermeture des marchés, quartiers classés zones à moyen risque (pas de droits de déplacement). Ils ont tiré la leçon de Wuhan et ont agi très vite.

Ils sont mis en place un contrôle *via* une application (Health Kit) sur le téléphone portable, application obligatoire. Si l'application de ton téléphone montre que tu as été en contact avec des personnes positives au Covid-19, par exemple, tu n'as plus le droit d'entrer dans les restaurants ou les commerces. Il faut immédiatement se confiner, car c'est une obligation de présenter son application de santé. Ils ont, par ailleurs, mis en place tout un ensemble d'autres mesures : zone à moyen risque, prise de température systématique, hôtels Covid. La vie à Pékin a été très rapidement bouleversée.

Donc, les malades sont isolés dès les premiers signes de présence du virus ?

Très vite, la Chine a mis en place un système d'isolement des malades. Dès qu'un cas a été découvert, toutes les personnes qui ont été en contact étroit avec cette personne sont contactées et testées. Une enquête est menée pour retrouver toutes les personnes qui seraient potentiellement à risque d'avoir contracté le virus. Chaque personne qui a été en contact étroit avec une personne diagnostiquée positive au Covid-19 est soumise à une quarantaine de deux semaines. Le comité de quartier remet à manger et fournit le nécessaire pour les personnes en quarantaine.

Donc, le dépistage est accompagné d'une campagne massive de *tracking* et d'isolement des malades. Il suffit, par exemple, qu'une personne dans une résidence soit testée positive au Covid-19 pour que toute la résidence soit confinée pendant 14 jours. On parle de confinement, mais la réalité est que l'on isole les malades et les potentiels malades, soit les personnes qui ont été en contact étroit avec une personne testée positive au Covid-19. Il faut ajouter que n'importe quel isolement de 14 jours est accompagné de deux tests : un au début et un à la fin de l'isolement de 14 jours.

Qu'en est-il du traitement ?

Quand quelqu'un est testé positif au Covid-19 avec une charge virale très importante, il est alors soigné par des antibiotiques, ainsi que par des antiviraux. Ils donnent des antibiotiques ou des antiviraux en fonction du degré de la charge virale. En termes d'antibiotiques, ils en donnent uniquement à ceux qui en ont besoin. Ils ont également testé différents antiviraux.

Si un patient est en détresse respiratoire, il sera mis sous assistance respiratoire. Mais s'il y a des symptômes très légers, sans confirmation de positivité, ils donnent soit de la pharmacopée chinoise, soit du paracétamol.

Pour finir, comment est-ce que ces mesures "restrictives " ont- elles été reçues par la population ?

La force de l'État chinois tient en deux choses : son efficacité et son ingéniosité. Le gouvernement a facilement emporté l'adhésion du peuple. En Chine nous avons un rapport différent aux libertés individuelles qu'en Occident. Nous avons une vision plus collective et nationaliste. L'idée d'accepter des règles de *tracking* ou d'isolement choque très certainement beaucoup moins dans notre pays que cela pourrait choquer en Occident.

Finalement, je peux dire que même si les règles ont été très dures, elles ont été plutôt bien acceptées par la population. D'ailleurs, l'efficacité de ces mesures est tangible et notre gouvernement a de quoi se féliciter du succès des résultats observés. Résultats qu'il communique comme une grande victoire.

***
**
*

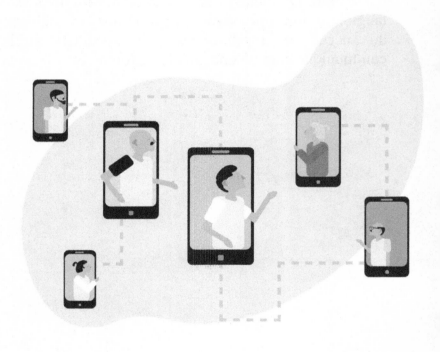

106

POSTFACE DE L'ÉDITEUR

Quand l'auteur, Guy Courtois, m'a fait part de son projet d'écriture sur la pandémie de Covid-19, je me suis aussitôt senti impliqué et motivé. L'expertise de Guy Courtois, ses compétences professionnelles en tant que consultant en stratégie, son expérience en qualité de chef d'entreprise, ne m'ont pas fait douter un seul instant du sérieux de sa démarche ni de l'extrême rigueur avec laquelle lui et son équipe allaient investiguer. Curieux de nature, je ne peux me contenter de ce que les médias « mainstream » nous donnent à réfléchir. De trop nombreuses incongruités m'apparaissent, comme à de nombreux Français. Elles font naître un désir ardent de se forger sa propre opinion. L'initiative de Guy Courtois rejoint donc mes questionnements et ma volonté d'en savoir davantage sur la crise grave que nous traversons. Enfin, c'est aussi l'occasion de partager une aventure avec l'auteur qui est aussi mon ami, et ainsi de défendre des valeurs qui nous sont communes. Concrétiser des projets avec ses proches est l'une des plus belles émotions que je connaisse !

Pour avoir été aux côtés de Guy Courtois au moment où il récoltait les premiers témoignages, je ne crains pas de dire qu'il est vraisemblablement l'un des principaux contributeurs à l'information, par certains médias, des failles du système de santé, des manquements de certains membres du gouvernement, et de l'absence de cap à long terme. Très vite Guy

Courtois s'est entouré de près d'une quarantaine de personnes pour récolter et analyser les témoignages de professionnels du monde de la santé et de malades atteints du Covid-19, ainsi que pour synthétiser la documentation scientifique qui traite de la question, en France et dans le monde.

La série « Covid-19 » est donc née, après de minutieux recoupements d'informations, de recherches, d'interviews et d'analyses. Un travail d'enquête sans égal, par son approche factuelle et nuancée, loin de tout complotisme. Guy Courtois a su se saisir des polémiques les plus importantes pour en faire de remarquables livres de synthèse, clairs et subtils : l'impréparation des États face à pareille crise, l'absence des tests, l'isolement des malades, la prescription de l'hydroxychloroquine et l'utilisation de molécules déjà existantes, l'utilité des antibiotiques, la personnalité du professeur Didier Raoult, le lobbying des laboratoires pharmaceutiques, la problématique du confinement et du déconfinement, l'effondrement de l'économie mondiale, la peur qui s'empare de la société tout entière… Aucune thématique n'est éludée dans les 22 livres produits par l'auteur dans le cadre de la série Covid-19 et rassemblés dans l'ouvrage global *Et si Didier Raoult avait raison ? Les coulisses d'un scandale international*, lequel regroupe presque tous les livres de la série.

Nous sommes fiers, chez *Investigation éditions*, de permettre au lecteur de mieux appréhender la période difficile que nous vivons. Et de penser à l'avenir aussi, en prenant connaissance des solutions proposées par l'auteur dans certains de ses ouvrages. Que vous soyez étudiant en médecine, professionnel de santé, enseignant-chercheur, citoyen engagé, ou simple curieux avide de réponses aux maux actuels, la série Covid-19 est faite pour vous ! Il était de notre devoir de rendre intelligible à tous une situation complexe en apparence.

Guillaume Grenier
Président *d'Investigation éditions*

***
**
*

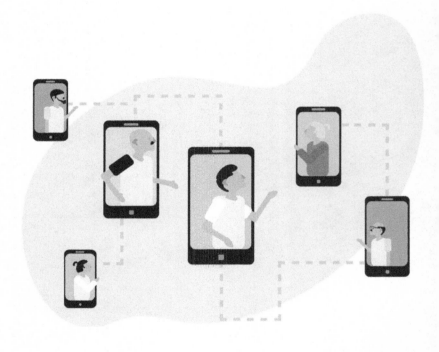

HISTOIRE DU LIVRE

RÉDACTION DU LIVRE

Ce livre apporte une analyse des enjeux autour de la pénurie des tests, de l'absence de politique de dépistage massif, de l'absence de *tracking*. Il analyse aussi les mauvaises décisions prises, dues aux limites et manquements liés à cette pénurie de tests.

Chacun des livres de la série Covid-19 a été rédigé de façon à être publié et lu de manière autonome. Tous les livres de la série ont fait l'objet de deux livres de synthèse.

Ils ont d'abord été intégrés à un ouvrage global qui donne corps à la plupart des livres écrits par Guy Courtois sur la crise du Covid-19. La partie « Analyse » de ce livre correspond au chapitre 2 du premier ouvrage de synthèse *Et si Didier Raoult avait raison ?* publié par *Investigation éditions*.

De plus, le livre « Covid-19 : comprendre la méthode d'Asie de l'Est » synthétise toute la série Covid-19 de manière simple et didactique, mettant en avant la problématique de ce que certains ont appelé la « stratégie zéro Covid ».

Cet ouvrage s'inscrit dans une démarche de participation citoyenne. Il est le fruit de nombreuses interviews menées auprès de plusieurs membres du corps médical. Ce travail pluridisciplinaire est également le résultat d'une collaboration de plusieurs personnes que nous souhaitons remercier chaleureusement.

Tout d'abord, l'équipe de sourceurs qui a collecté et fourni des sources précieuses à la rédaction de ce livre. Puis viennent les investigateurs et rédacteurs qui ont fait preuve d'un travail de recherche remarquable. Leur rôle était de collecter des informations, les analyser sous le prisme du plan qui leur était proposé par Guy Courtois, d'éplucher l'ensemble des sources collectées et de les compléter par de nouvelles recherches afin d'arriver à un document final : une fine analyse des problématiques évoquées dans ce livre. Mais également l'équipe de correcteurs et relecteurs professionnels, notamment Florian Levy[106] qui avait pour rôle essentiel de vérifier la cohérence de l'histoire relatée et qui se sont assurés que le produit final ait une orthographe et une présentation irréprochable. Enfin, l'équipe de

---

[106] Champion du monde de Scrabble® francophone en 2000, président du comité de rédaction de L'Officiel du Scrabble® (Larousse) depuis 2006, auteur du site N'ayons plus peur des mots.

publication qui s'est chargée de la mise en page, de la couverture et de la publication.

Nous remercions également les sociétés Art Fine Prints[107] et Wooyart[108] pour leur aide précieuse. Sans toutes ces personnes, ce livre n'aurait jamais vu le jour.

***
**
*

[107] Art Fine Prints est une société qui regroupe plusieurs maisons d'art, ainsi qu'Investigation éditions. http://artfineprints.com/
[108] Wooyart est une société française de e-commerce cross-border et de communication qui fournit des solutions digitales aux marques européennes désireuses de se développer en Chine. http://wooyart.com/

HISTOIRE DE LA SÉRIE

Prendre du recul, et comprendre comment ce livre s'insère dans la série Covid-19[109].

Nous souhaiterions prendre le temps, pour ceux que cela intéresse, de contextualiser le fil conducteur de notre série Covid-19, publiée chez *Investigation éditions*.

Quatre questions essentielles ont sillonné les 24 ouvrages de notre série :

1. Que penser de la méthode d'Asie de l'Est de lutte contre la pandémie ?

2. Pourquoi cette méthode n'a-t-elle pas été appliquée unanimement ?

3. Quelles sont les conséquences de la non-application de cette méthode ?

4. Quelles leçons tirer de la présente crise ?

---

[109] Ce chapitre 1 est commun à tous les livres n° 1 à n° 22 de la série Covid-19, publiée par *Investigation éditions*.

En lisant le chapitre qui suit, nous comprendrons comment ce livre se situe dans cette problématique plus générale de la méthode d'Asie de l'Est. Problématique qui structure toute cette série Covid-19 à travers ces quatre questions clés. Chaque livre n'en demeure pas moins un livre indépendant des autres, n'abordant que sa propre thématique.

***
**
*

Que penser de la méthode d'Asie de l'Est de lutte contre la pandémie ?

Nous avons beaucoup parlé et entendu parler de la méthode d'Asie de l'Est de lutte contre la pandémie, qui a été appliquée dans les pays d'Asie de l'Est et de l'Océanie. Encore fallait-il l'analyser en détail. C'est ce que nous avons fait. Cette méthode s'est vue attribuée de nombreux noms différents : « méthode d'Asie », « stratégie asiatique », « stratégie zéro Covid... » Mais tous ces différents noms ne regroupent pas toujours les mêmes approches. Par exemple, la « stratégie zéro Covid » élude parfois l'étape de traitement des malades. C'est pourquoi nous avons donné ce nom de « méthode d'Asie de l'Est de lutte contre la pandémie » en prenant le soin d'en expliquer la démarche de façon exhaustive et dépolluée des polémiques ou dogmatismes occidentaux.

Alors, qu'est-ce que cette méthode d'Asie de l'Est de lutte contre la pandémie ? Cette stratégie repose sur quatre éléments. Premièrement : se protéger. Deuxièmement : tester. Troisièmement : isoler les malades. Enfin, quatrièmement : traiter. Par exemple, en Corée du Sud, souvent applaudie pour sa gestion de crise, cette méthode a été mise en place.

MÉTHODE D'ASIE DE L'EST

1 PROTÉGER	2 TESTER	3 ISOLER LES MALADES	4 TRAITER
LIVRE 1	LIVRE 2	LIVRE 3	LIVRE 4

D'abord, protéger, c'est se protéger et protéger les autres. Cela passe par la mise en place et le respect des gestes barrières. Se protéger, c'est se laver les mains régulièrement et plusieurs fois par jour. C'est aussi avoir un bon usage des outils de protection : les masques, les blouses, etc. Par ailleurs, il semble utile de rappeler que certaines autorités scientifiques n'ont pas été favorables au port généralisé du masque, et avaient même tendance à penser qu'il fallait le porter en fonction des différentes situations qui se présentaient.

Ensuite, il faut tester. Il semble inconcevable de ne pas généraliser les tests, et notamment, de ne pas tester toutes les personnes à risque. Le dépistage doit être massif. Toutes les personnes qui le souhaiteraient devraient être testées. Bien entendu, les personnes qui peuvent représenter un danger, c'est-à-dire celles qui ont déjà été en lien avec des personnes malades, ou les personnes particulièrement à risque, doivent être testées en priorité. Il s'agit donc de les identifier, c'est-à-dire de les tracer, afin d'être en mesure de les tester.

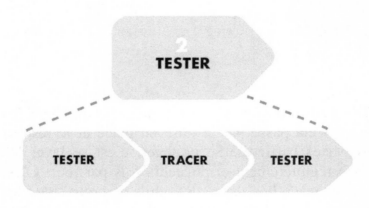

Généraliser les tests permet de détecter les malades, ce qui est essentiel pour passer à l'étape suivante : isoler les malades, ce que l'on ne doit pas confondre avec « confiner ». En effet, l'utilité d'un confinement généralisé est discutable, il paraît beaucoup plus efficace d'isoler les malades[110] du reste de la population pour protéger cette dernière, et en particulier de les isoler des membres de leur famille, afin de ne pas les contaminer. Isoler les personnes contaminées des Ehpad (établissements d'hébergement pour personnes âgées dépendantes) procède de la même logique. Il s'agit aussi d'isoler les cas contact, voire les personnes fragiles, uniquement lorsque cela fait sens.

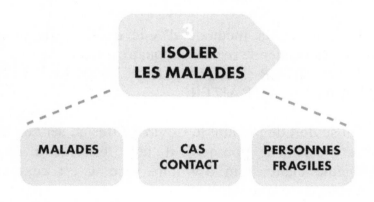

---

[110] COURTOIS G., livre n° 3 de la série Covid-19 : « Covid-19 : pourquoi il faut isoler les malades », France, *Investigation éditions*, juillet 2020.

Enfin, le quatrième volet de cette méthode repose sur le traitement. Il faut traiter les malades en période de crise. L'idée de laisser les personnes sans traitement jusqu'à ce que leur situation finisse par s'aggraver, quand elle ne devient pas, dans certains cas, catastrophique et irréversible, est inadmissible. Il faut traiter immédiatement en prenant en compte les connaissances dont on dispose, traiter avec ce que l'on sait de mieux, aujourd'hui, au niveau de la science médicale (antiviraux, antibiotiques, zinc, vitamine D...). Il faut une prise en charge précoce par la médecine libérale qui doit permettre d'alléger la charge hospitalière et donc, des services de réanimation. Certaines personnes parlent également de traitement ambulatoire précoce.

En résumé, la méthode d'Asie de l'Est de lutte contre la pandémie repose sur quatre piliers :
1-PROTÉGER ; 2-TESTER ; 3-ISOLER LES MALADES ; 4-TRAITER.

On se doit de prendre le Covid-19 très au sérieux et c'est justement pourquoi il faut réfléchir à une stratégie claire, afin d'y faire face. C'est ce que propose cette stratégie.

**
*
**

Pourquoi la méthode d'Asie de l'Est de lutte contre la pandémie n'a-t-elle pas été appliquée ?

Rappelons-le, l'objectif de cette méthode est de définir une approche stratégique à appliquer pour faire face à la pandémie du Covid-19. Pourquoi pensons-nous cela important ? Car lorsque nous définissons une stratégie claire et simple à comprendre, alors plusieurs choses deviennent possibles :

- Aligner l'ensemble des nations sur une stratégie commune, afin d'éradiquer la pandémie.

- Permettre à chaque État de s'approprier cette stratégie, afin de la décliner dans son pays.

- Permettre à l'ensemble des secteurs d'activité d'une nation de décliner cette même stratégie : autorités sanitaires, transports, écoles…

- Permettre à l'ensemble du corps médical de s'approprier cette stratégie et de la décliner auprès des patients.

- Permettre à l'ensemble de la population de s'approprier cette stratégie et, de ce fait, de respecter les règles qu'on lui impose.

Nous le voyons, définir une stratégie n'est pas une chose anodine ni inutile. Elle est souvent l'étape essentielle, afin d'aligner l'ensemble des acteurs – du plus haut niveau au plus bas niveau – sur une même ligne de conduite. Sans stratégie claire, sans stratégie simple, sans stratégie tout simplement, il y a un fort risque que tout le monde aille dans des directions divergentes, engendrant ainsi une confusion sur les actions à mener. Il y a de forts risques que les médecins et la population remettent en cause les directives qui leur sont données.

Un autre point qui nous semble important à souligner est le fait qu'avoir une stratégie claire permet d'aborder, de façon honnête et factuelle, les manquements auxquels peut faire face un État. Une stratégie ne doit pas changer en fonction de l'impréparation ou des manquements existants mais, au contraire, doit permettre d'identifier cette impréparation et ces manquements, permettant ainsi à l'ensemble des acteurs en place d'y faire face en se mettant en ordre de bataille.

En quelque sorte, une stratégie est d'abord le fruit d'une compréhension et analyse d'un ensemble d'éléments qui viennent du terrain (Bottom up). Mais une fois définie, elle doit s'appliquer du haut vers le bas (Top down).

Il nous vient à l'esprit que la définition d'une telle stratégie reviendrait normalement à l'Organisation mondiale de la santé. Donc, pourquoi le faisons-nous, alors que ce rôle revient à l'OMS ?[111] Justement parce que cette organisation n'a pas su jouer son rôle.

Sachant que cette méthode s'est révélée efficace dans les pays qui l'ont appliquée, pourquoi n'a-t-elle pas été mise en place dans les autres ? Pourquoi les grandes démocraties occidentales ont-elles plutôt choisi d'appliquer la stratégie du « stop-and-go[112,113] » ?

De plus, la prise en charge précoce se révélant prometteuse, pourquoi n'a-t-elle pas, elle aussi, été mise en place ? Voilà les questions fondamentales au cœur de la série Covid-19. En effet, il semble tout à fait incompréhensible qu'une approche aussi simple n'ait pas été mise en place, puisqu'elle nous aurait sans doute permis de mieux gérer cette crise.

---

[111] COURTOIS G., livre n° 10 de la série Covid-19 : « Covid-19 : l'OMS à la dérive », France, *Investigation éditions*, juillet 2020.

[112] La stratégie du « stop and go » consiste en l'application de mesures restrictives lorsque le nombre de cas augmente de manière incontrôlable, puis à lever ces mesures lorsque le nombre de cas baisse.

[113] TROUILLARD S., « La stratégie du "stop and go" face au Covid-19 : déconfiner pour mieux reconfiner ? », France, *France 24,* 28 avril 2020.

Nous devons disposer d'une méthode générale qui définisse des règles simples et claires en cas d'épidémie, afin de pouvoir anticiper et réagir vite, sans céder à la panique. Cette méthode est une méthode simple et de bon sens. Qui plus est recommandée par de nombreux infectiologues à travers le monde.

La question ne se pose malheureusement pas que pour la France. De nombreux pays ont décidé de ne pas appliquer cette stratégie, alors que d'autres ont, au contraire, adopté des stratégies similaires à celle-ci.

Le choix de ne pas retenir la méthode d'Asie de l'Est de lutte contre la pandémie s'explique par de nombreuses raisons, mais nous en retiendrons neuf principales, toutes étudiées dans les différents livres de cette série Covid-19 :

RAISONS DE LA NON-APPLICATION
DE LA MÉTHODE D'ASIE DE L'EST

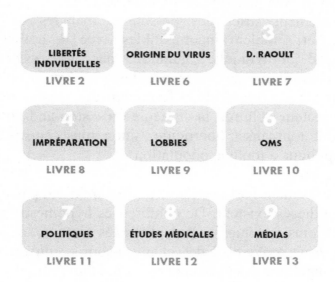

1	2	3
LIBERTÉS INDIVIDUELLES	ORIGINE DU VIRUS	D. RAOULT
LIVRE 2	LIVRE 6	LIVRE 7
4	5	6
IMPRÉPARATION	LOBBIES	OMS
LIVRE 8	LIVRE 9	LIVRE 10
7	8	9
POLITIQUES	ÉTUDES MÉDICALES	MÉDIAS
LIVRE 11	LIVRE 12	LIVRE 13

Concernant les libertés individuelles, l'étape, TESTER de la méthode d'Asie de l'Est, consiste en l'application d'une politique de dépistage massif et de traçage (*tracking)*. Cette politique permet d'isoler les personnes contaminées ou cas contact du reste de la population, afin de les traiter comme cela a été fait dans les pays d'Asie de l'Est, d'Océanie et de certains pays d'Afrique. Vraisemblablement, le *tracking* et l'isolement strict des personnes malades ou cas contact semblent incompatibles avec la notion de liberté individuelle garantie par les systèmes démocratiques des pays occidentaux. Ironiquement, entre le confinement, la fermeture des restaurants et du secteur culturel, la stratégie du « stop-and-go[114] » paraît tout aussi liberticide, sinon plus, puisqu'elle s'applique à toute la population.

Concernant l'origine du virus du Covid-19, plusieurs hypothèses existent. De nombreuses hypothèses, plus ou moins farfelues, circulent sur les réseaux sociaux. Le virus provient-il des chauves-souris trouvées sur un marché ? S'est-il échappé du laboratoire P4 de Wuhan ? Difficile de distinguer la vérité des théories conspirationnistes. Mais l'enjeu est ailleurs, il s'agit surtout du discours tenu par la Chine au début de

---

[114] TROUILLARD S., « La stratégie du "stop and go" face au Covid-19 : déconfiner pour mieux reconfiner ? », France, *France 24,* 28 avril 2020.

l'épidémie. Discours qui n'a pas permis aux pays occidentaux de se préparer. Car la Chine a minimisé la gravité dès le début et s'est opposée, avec le soutien de l'OMS, à la fermeture des frontières des autres pays.

La troisième raison, plus spécifique à la France, est le professeur Didier Raoult[115] : sa personnalité très forte, clivante, ses différentes interventions donnent du grain à moudre à ses nombreux détracteurs. Il est d'ailleurs peu étonnant qu'il ait préconisé cette méthode, lorsque l'on sait les liens étroits qu'il entretient avec les infectiologues chinois.

Une autre explication se trouve dans l'impréparation des États[116] face à cette crise. Une impréparation qui a été totale pour de nombreux pays d'Occident, et ce, à tous les niveaux : vis-à-vis des tests, sur les méthodes à mettre en place pour isoler les personnes malades, ou encore, sur la compréhension des traitements précoces possibles. Mais ce manque de préparation ne peut tout expliquer.

---

[115] COURTOIS G., livre n° 7 de la série Covid-19 : « Toute la vérité sur Didier Raoult », France, *Investigation éditions*, juillet 2020.
[116] COURTOIS G., livre n° 8 de la série Covid-19 : « Covid-19 : comment l'impréparation nous a menés au désastre », France, *Investigation éditions*, juillet 2020.

En effet, un cinquième facteur vient s'ajouter : l'action des lobbies pharmaceutiques[117]. Ces derniers ne sont pas favorables au fait de recourir à ce que l'on appelle le *"repositionnement"* (ou *"repositionning"* en anglais), c'est-à-dire l'utilisation d'anciens médicaments génériques pour traiter de nouvelles maladies. Les intérêts de ces laboratoires sont, au contraire, de mettre sur le marché de nouvelles molécules, voire des vaccins, deux pratiques extrêmement lucratives. Encore une fois, cette raison ne peut suffire à tout expliquer.

L'OMS a également une grande part de responsabilité. Tant dans l'impréparation des pays, qui découle en partie de la minimisation totale des faits en début d'épidémie par l'organisation onusienne, que dans la connivence de cette dernière avec différents groupes d'intérêts, ce qui l'a amenée à écarter les bénéfices des traitements précoces, d'une prise en charge précoce. Au contraire, ces différents liens ont poussé l'OMS à encourager les recherches de vaccin, ainsi que les tests portant sur d'autres médicaments, notamment le Remdesivir. Cependant, cela ne suffit pas, une fois de plus, à comprendre la complexité des raisons pour lesquelles la méthode

---

[117] COURTOIS G., livre n° 9 de la série Covid-19 : « Le pouvoir des lobbies pharmaceutiques », France, *Investigation éditions*, juillet 2020.

d'Asie de l'Est de lutte contre la pandémie n'a pas été mise en place.

Il est important d'aborder la politisation du débat. En dehors de toute rationalité scientifique et sanitaire, les politiques de nombreux pays, en France, aux États-Unis, au Brésil ou d'autres États, se sont positionnés pour ou contre telle approche ou telle autre approche. Et ce, avant tout pour des raisons politiques[118]. Cette raison n'a pas permis un débat apaisé propice à la mise en place de la méthode que nous préconisons.

Par ailleurs, et c'est la huitième raison, il semble intéressant de voir comment les lobbies, l'OMS, les politiques, ont utilisé, à leurs fins, les études médicales. En biaisant leur lecture, ou leur mise en place, la compréhension de ces études a été rendue quasiment impossible pour le grand public.

Pour finir, il s'agit de se demander pourquoi les médias[119] ont failli dans leur position de contrepouvoir, sur ces questions en particulier. Ils n'ont pas fait preuve de suffisamment d'esprit critique, et n'ont pas pris le recul nécessaire pour

---

[118] COURTOIS G., livre n° 11 de la série Covid-19 : « Covid-19 : la politisation du débat », France, *Investigation éditions*, juillet 2020.
[119] COURTOIS G., livre n° 13 de la série Covid-19 : « Les médias confrontés au Covid-19 », France, *Investigation éditions*, juillet 2020.

rendre compte de la situation de manière totalement objective.

Toutes ces explications, ces facteurs, se sont alors plus ou moins agrégés et permettent de comprendre pourquoi la méthode d'Asie de l'Est de lutte contre la pandémie n'a pas été appliquée dans la majorité des pays occidentaux. Mais ceci ne concerne pas tous les pays du monde. En effet, en Asie et en Afrique, au Brésil, cette stratégie a été appliquée avec plus ou moins d'efficacité et de résultats. Par ailleurs, la méthode proposée ici ressemble beaucoup à celle mise en œuvre en Corée du Sud. Un pays qui avait tiré les leçons du SRAS et de la grippe H1N1, des épidémies passées.

***
**
*

Quelles sont les conséquences de la non-application de la méthode d'Asie de l'Est de lutte contre la pandémie ?

Nous l'avons vu, il existait une stratégie claire et simple à mettre en place qui se résume en quatre étapes :

1-PROTÉGER,
2-TESTER,
3-ISOLER LES MALADES,
4-TRAITER.

Les conséquences liées au manque de stratégie claire sont très nombreuses, et pour le moins catastrophiques pour un grand nombre de pays. C'est pourquoi nous prendrons le soin d'étudier en détail six d'entre elles.

CONSÉQUENCES DE LA NON-APPLICATION DE LA MÉTHODE D'ASIE DE L'EST

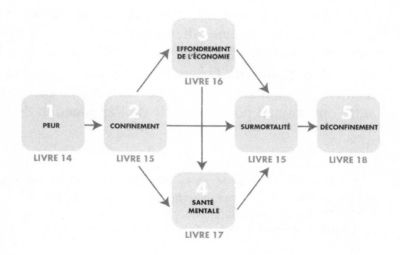

La première conséquence est la peur. Une peur terrible qui s'est emparée de nombreux pays. D'abord en Iran et en Italie, puis qui s'est répandue comme une traînée de poudre, dans l'ensemble des pays d'Europe, avant de se propager aux États-Unis et dans le reste du monde[120].

Cette peur est accentuée par les récits de triage de patients, ou encore les simulations potentielles amplifiées de plusieurs millions de morts, qui ont tout naturellement eu pour deuxième conséquence le confinement[121]. Un confinement qui, nous devons le reconnaître, a été relativement bien accepté par la population, mais qui aurait probablement pu être évité ou, du moins, être plus court si nous avions été prêts et si nous avions pris en compte les recommandations des pays d'Asie de l'Est. Il est trompeur de penser qu'il n'y avait qu'une alternative, celle de choisir entre deux options, à savoir ne rien faire ou confiner toute la population. Présenter la situation de cette manière s'apparente à déformer la réalité, car une autre option était possible, celle de l'application de la

---

[120] COURTOIS G., livre n° 14 de la série Covid-19 : « Covid-19 : la dictature de la peur », France, *Investigation éditions*, juillet 2020.
[121] COURTOIS G., livre n° 15 de la série Covid-19 : « Covid-19 : confinement et surmortalité », France, *Investigation éditions*, juillet 2020.

méthode d'Asie de l'Est de lutte contre la pandémie, ainsi qu'une multitude d'approches alternatives.

Troisième conséquence : l'effondrement de l'économie[122]. Un effondrement qui s'est constaté dans la quasi-totalité des pays du monde, dû à la fermeture des commerces, d'un très grand nombre d'entreprises, et bien évidemment la fermeture des frontières, qui a totalement freiné en particulier l'économie touristique, mais pas seulement, de tous ces pays. Dans les pays ayant appliqué la méthode d'Asie de l'Est de lutte contre la pandémie, le secteur des services – qui a été le plus touché par les mesures restrictives – connaît une forte croissance positive dès avril 2020, alors que les pays ne l'ayant pas appliquée observent une récession sur cette même période. Le discours selon lequel les objectifs sanitaires et économiques seraient difficiles à concilier semble erroné. Cette dichotomie paraît moins évidente quand l'on constate que les pays ayant appliqué la méthode d'Asie de l'Est s'en sortent aussi bien sur le plan sanitaire qu'économique. Ainsi, cette méthode ouvre des perspectives intéressantes, en alignant défis économiques et sanitaires. Enfin, les conséquences de la non-application de la méthode d'Asie de l'Est

---

[122] COURTOIS G., livre n° 16 de la série Covid-19 : « Covid-19 : l'effondrement de l'économie mondiale », France, *Investigation éditions*, juillet 2020.

diffèrent selon que l'on se focalise sur un pays doté d'outils servant d'amortisseurs sociaux, ou bien sur des pays libéraux qui n'en sont pas pourvus[123].

La santé mentale est probablement l'une des conséquences les plus dramatiques, tant elle touche une partie importante de la population. Malgré les amortisseurs sociaux, l'effondrement de l'économie a eu un impact considérable sur les commerçants, les restaurateurs, les chefs d'entreprise, et les étudiants. Et bien entendu, aussi sur leur santé mentale. En effet la peur et l'angoisse, l'absence de lien social dû au confinement et l'effondrement de l'économie ont conduit au développement de psychopathologies de toute nature et sûrement à une amplification de ces dernières pour les personnes déjà souffrantes.

Fatalement, le confinement[124], l'effondrement de l'économie et la dégradation de la santé mentale ne pouvaient déboucher que sur une cinquième conséquence : une surmortalité, observée plus ou moins facilement dans tous les pays qui ont refusé d'appliquer la méthode d'Asie de l'Est de lutte contre la pandémie. Une surmortalité qui, hélas, était très probablement évitable.

---

[123] Ibid.

[124] COURTOIS G., livre n° 15 de la série Covid-19 : « Covid-19 : confinement et surmortalité », France, *Investigation éditions*, juillet 2020.

Enfin, la dernière conséquence est très certainement un déconfinement anxiogène[125]. D'autant plus qu'un certain nombre de pays ont persisté à rejeter la méthode d'Asie de l'Est de lutte contre la pandémie. Ceci est tout à fait regrettable, car ce déconfinement aurait pu être beaucoup plus rapide, ce qui aurait pu permettre de limiter les dégâts économiques et sociaux.

En conclusion, l'absence de stratégie claire, voire le rejet systématique de la méthode d'Asie de l'Est, a eu des conséquences plus néfastes que lorsque la méthode d'Asie de l'Est a été minutieusement appliquée. Heureusement, la catastrophe a pu être davantage évitée dans les pays qui ont choisi d'appliquer cette stratégie. Notamment, sur le continent africain.

***
**
*

---

[125] COURTOIS G., livre n° 18 de la série Covid-19 : « La gestion anxiogène du déconfinement », France, *Investigation éditions*, juillet 2020.

Quels changements et solutions pour l'avenir ?

Comme nous avons tenté de l'expliquer, la méthode d'Asie de l'Est de lutte contre la pandémie n'a pas été mise en place partout, pour de multiples raisons. Désormais, il convient de nous poser la question suivante : quels changements et solutions possibles pour l'avenir ?

Il est en effet facile de juger les décisions prises, et de porter un regard critique, *a posteriori*, sur une situation aussi difficile que celle qui s'est présentée à l'ensemble des chefs d'État dans le monde. Nous ne saurions insister sur le fait que, même s'ils portent tous une grande part de responsabilité, il est nécessaire de reconnaître le fait qu'ils n'avaient pas été préparés à une telle crise. Il faut se souvenir qu'ils ont probablement, pour la plupart, essayé de faire du mieux qu'ils pouvaient, avec les moyens et les connaissances disponibles. Et qu'ils ont probablement aussi été très mal conseillés.

Alors, pour s'assurer, dans le futur, que les choses se passent différemment et surtout mieux, il nous faut réfléchir aux solutions pour l'avenir. Nous en retiendrons plusieurs qui nous paraissent fondamentales.

En premier lieu, nous observons comment un monde avide de changements se met à rêver de nombreuses solutions[126]. De toutes les conséquences de la pandémie étudiées précédemment naît un traumatisme fort, ressenti par beaucoup à travers le monde. Mais de ce traumatisme émerge un espoir tout aussi grand. Un espoir de changement global, porté sur plusieurs thématiques structurantes de nos modes de vie contemporains.

Il s'agit ensuite de se préparer à une prochaine pandémie[127]. Il faudra, à l'avenir, être prêt et définir

---

[126] COURTOIS G., Livre n° 19 de la série Covid-19 : « Le monde de l'après-Covid-19 », France, *Investigation éditions*, juillet 2020.
[127] COURTOIS G., Livre n° 20 de la série Covid-19 : « Faire face aux pandémies », France, *Investigation éditions,* juillet 2020.

une méthode claire à suivre en cas de nouvelle épidémie. Cette méthode, nous la connaissons déjà : c'est celle adoptée par la Corée du Sud, Singapour et Hong Kong. C'est celle qui est l'objet de toute notre discussion. Cette préparation ne peut se faire sans une collaboration efficace à l'international, sans une restauration de l'hôpital public, en lui fournissant plus de moyens et plus de reconnaissance. Enfin, il faudra se préparer à appliquer la méthode d'Asie de l'Est de lutte contre la pandémie dans toutes les sphères de la société (écoles, transports en commun...), afin d'être très réactif si, un jour, une autre épidémie arrive.

En troisième lieu, il faudra s'atteler à adopter une approche plus clinicienne[128], c'est-à-dire remettre le malade au centre de la problématique. Et non pas seulement, une approche focalisée sur la recherche, et sur le respect strict des canons de méthodologie.

Enfin et cela nous semble important, il nous faut évoquer la mise en place d'un encadrement plus strict de l'action des groupes d'influence. Nous ne pouvons nier que de nombreuses solutions ont déjà été apportées pour lutter contre les dérives que peuvent provoquer les actions de lobbying, notamment par le

---

[128] COURTOIS G., Livre n° 21 de la série Covid-19 : « Remettre le patient au cœur du système de soins », France, *Investigation éditions,* juillet 2020.

biais de lois visant à amener plus de transparence. Toutefois, cela semble encore insuffisant, et il conviendra de réfléchir aux moyens supplémentaires dont nous pourrions nous doter, mais aussi aux réformes que nous devons engager, notamment celle de l'OMS. Il nous faudra aussi apprendre à lutter contre nos peurs et retenir les leçons de cette crise sans précédent, que la quasi-totalité des pays sur la planète a traversée[129].

Nous pourrions conclure en soulignant qu'il s'agit sans doute de l'occasion de réfléchir à l'ensemble des grands fléaux, qui tuent bien plus que la pandémie, que nous affrontons. Le paludisme fait partie d'une longue liste non exhaustive des enjeux sanitaires que nous devons absolument mieux appréhender, si nous rêvons d'un monde meilleur.

***
**
*

---

[129] COURTOIS G., Livre n° 22 de la série Covid-19 : « Comment lutter contre les lobbies pharmaceutiques et nos peurs ? », France, *Investigation éditions,* juillet 2020.

NOUS CONTACTER

Si nous avons commis des fautes, ou encore écrit des inexactitudes, merci de nous les signaler, en nous en précisant la page.

Par ailleurs, si vous souhaitez nous livrer des informations confidentielles, des témoignages, que vous jugez particulièrement pertinents et qui pourraient venir enrichir notre réflexion, vous pouvez nous contacter à l'adresse e-mail suivante :

enquetecovid@gmail.com

Nous rappelons que nous souhaitons lutter activement contre toute forme de complotisme et contre toutes les *fake news* et que, bien entendu, nous exclurons tout texte qui s'en approche.

***
**
*

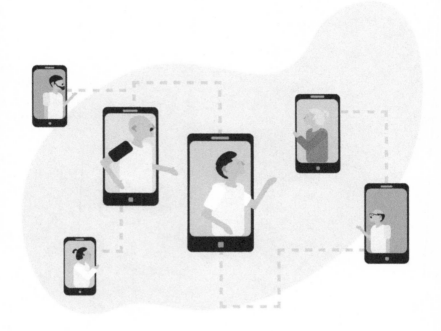

DU MÊME AUTEUR

LIVRES DE GUY COURTOIS

« Réussir un achat public durable », *Éditions du Moniteur, Méthodes,* avril 2008.

« Comment faire des économies en préservant ma planète », *Josette Lyon,* mai 2009.

***
**
*

LIVRES DE GUY COURTOIS,
DANS LA MÊME SÉRIE

La série Covid-19 *d'Investigation éditions* comporte les titres suivants.

***
**
*

1. Toute la vérité sur les masques : leur utilité ou non.

2. Covid-19 : le scandale des tests et du *tracking*.

3. Covid-19 : pourquoi il faut isoler les malades.

4. Comment on a bafoué la liberté de prescrire des médecins.

5. Covid-19 : le débat sur la prise en charge précoce.

6. Comprendre l'énigmatique origine du Covid-19.

7. Toute la vérité sur Didier Raoult.

8. Covid-19 : comment l'impréparation nous a menés au désastre.

23. Covid-19 : comprendre la méthode d'Asie de l'Est.

24. Et si Didier Raoult avait raison ?

***
**
*

COUVERTURES

TOUTE LA VÉRITÉ SUR DIDIER RAOULT
Y compris les vérités non dites
GUY COURTOIS
Postface de FRANÇOIS DUCROCQ

COVID-19 : COMMENT L'IMPRÉPARATION NOUS A MENÉS AU DÉSASTRE
Attentisme, centralisme, bureaucratie et manquements
GUY COURTOIS
Préface de BERNARD GIRAL

LE POUVOIR DES LOBBIES PHARMACEUTIQUES
Big pharma : le scandale de l'hydroxychloroquine
GUY COURTOIS
Postface de NICOLE DELÉPINE

COVID-19 : L'OMS À LA DÉRIVE
Entre soumission et compromission
GUY COURTOIS
Postface de GEORGES PERROT

COVID-19 : LA POLITISATION DU DÉBAT
Quand l'irrationnel prend le dessus
GUY COURTOIS
Témoignages de HARVEY RISCH et de VIRGINIE FERNANDEZ

LE SCANDALE DES ESSAIS CLINIQUES
Manque d'éthique, mensonges et manipulations
GUY COURTOIS
Postface de GÉRARD DELÉPINE

LES MÉDIAS CONFRONTÉS AU COVID-19
Un contrepouvoir affaibli ?
GUY COURTOIS
Analyse de JEAN-LOUP IZAMBERT

COVID-19 : LA DICTATURE DE LA PEUR
De l'autoritarisme à l'acceptation
GUY COURTOIS
Préface de JEAN-FRANÇOIS LESSARDS

COVID-19 : CONFINEMENT ET SURMORTALITÉ
Une autre approche était-elle possible ?
GUY COURTOIS
Préface du Pr CHRISTIAN PERRONNE

COVID-19 :
L'EFFONDREMENT
DE L'ÉCONOMIE MONDIALE
Comment les États font-ils face à la crise ?

Investigation éditions
GUY COURTOIS

COVID-19 :
UNE CRISE MONDIALE DE
LA SANTÉ MENTALE
Psychopathologies, dépressions et suicides

Investigation éditions
GUY COURTOIS

LA GESTION
ANXIOGÈNE
DU DÉCONFINEMENT
Faut-il craindre de nouvelles vagues ?

Investigation éditions
GUY COURTOIS
Préface de MARTINE WONNER

LE MONDE DE
L'APRÈS-
COVID-19
Nouveaux espoirs, télétravail, croissance verte

Investigation éditions
GUY COURTOIS

FAIRE
FACE AUX
PANDÉMIES
Tirer les leçons du Covid-19

Investigation éditions
GUY COURTOIS
Postface de JEAN-DOMINIQUE MICHEL

REMETTRE LE PATIENT
AU COEUR
DU SYSTÈME DE SOINS
L'exemple de l'IHU Méditerranée Infection

Investigation éditions
GUY COURTOIS
Préface de LOUIS FOUCHÉ

COMMENT LUTTER CONTRE
LES LOBBIES
PHARMACEUTIQUES
ET NOS PEURS ?
Des pistes de réflexion pour ouvrir le débat

Investigation éditions
GUY COURTOIS
Postface de LIONEL RÉVEILLÈRE

COVID-19 :
COMPRENDRE
LA MÉTHODE D'ASIE DE L'EST
Pourquoi la stratégie zéro Covid n'a-t-elle pas été appliquée ?
Quelles en ont été les conséquences ?

Investigation éditions
GUY COURTOIS

ET SI
DIDIER RAOULT
AVAIT RAISON ?
Les coulisses d'un scandale international

Investigation éditions
GUY COURTOIS